Мишель Монтиньяк

МЕТОД ПОХУДАНИЯ МОНТИНЬЯКА

Особенно для женщин

*Ответственный редактор русского издания
и автор предисловия Член-корреспондент
Российской Академии Наук, Президент
Международного Фонда Экологии Человека
А. П. КАПИЦА*

МОСКВА • ОНИКС • 1999

UDK 615.874
BBK 88.5
M 77

УДК 615.874
ББК 88.5
М 77

Мишель Монтиньяк выражает
свою особую признательность
инвестиционной финансовой компании
«Метрополь», благодаря которой
в России появилась его первая книга
«Метод похудания Монтиньяка.
Особенно для женщин».

© NUTRIMONT SA, France
Domaine du Molin
07300 ETABLES, France

© Перевод на русский язык А. К. ЭКОЛОГИЯ

ISBN 5-249-00016-9

СОДЕРЖАНИЕ

Предисловие к русскому изданию А. П. Капицы . . 11

Предисловие 15

Введение 20

ЧАСТЬ I

Глава I: Миф о "Теории печи"   26

Глава II: Как не надо худеть!   32

Низкокалорийные диеты: опасность! 32
"Обманчивые" белковые упаковки 38
   1. На чем основана белковая диета? 39
   2. Каковы ее недостатки? 39
"Раздражающие" пищевые добавки 42
Чудодейственное лекарство 43
   1. Мочегонные средства 44
   2. Слабительные 45
   3. Экстракты щитовидной железы 45
   4. Вещества снижающие аппетит 46
   5. Адифакс 46
Второй взгляд на добавки к еде 49
   1. L-карнитин 49
   2. Растения 50

Глава III: Питательный состав продуктов   51

Питательные вещества — источник энергии для организма: 52
- *1. Белки* 52
- *2. Углеводы (глюциды)* 55
- *3. Липиды (или жиры)* 62

Питательные вещества, не снабжающие энергией: 67
- *1. Клетчатка* 67
- *2. Вода* 70
- *3. Минеральные соли и микроэлементы* 71
- *4. Витамины* 72

Глава IV: Почему мы прибавляем в весе?   76

Эксперимент первый 79
Эксперимент второй 82
Результаты влияния пищи на гликемию. 84
Сахар 85
Картофель 86
Очищенная мука 87
Белый рис и кукуруза 88

Глава V: Метод   93

Французский парадокс 95

Фаза 1: 99
- *— Завтрак* 102
- *— Различные виды завтрака* 105
- *— Второй завтрак* 113
- *— Обед* 114
- *— Обед, который легко носить с собой* 124
- *— Ужин* 126

Специальные советы 131
- *1. Будьте осторожны с соусами* 131
- *2. Любите грибы* 131
- *3. Некоторые заметки по поводу сохранности продуктов питания* 132
- *4. Готовьте пищу обдуманно* 133
- *5. Следите за плохими жирами* 136
- *6. Некоторые варианты баланса хороших и плохих жиров* 136
- *7. Напитки, которые запрещены* 137

Фаза 2 139
— *Завтрак* 143
— *Обед* 144
— *Ужин* 150
— *От сэндвичей из муки грубого помола к здоровой "еде на ходу"* 151
Осуществление Фазы 2 152
— *Примеры меню Фазы 2* 155

Глава VI: Усталость: являются ли продукты питания причиной усталости? 160

Гипергликемия: слишком очевидная причина, чтобы о ней подумать! 160
1. Гликемия: гипер- и гипо 161
2. Один симптом может скрываться за другим 162
3. Функциональная гипогликемия 163
Другие причины утомления 168
1. Плохой выбор макро-компонентов питания 168
2. Недостаток микрокомпонентов питания 169
Другие причины усталости, связанные с недостатком микрокомпонентов питания: 169
3. Неправильное использование алкогольных напитков . . 170
4. Сверхчувствительность к загрязнению продуктов питания 170
Таблица витаминов 171

Глава VII: Предотвращение сердечно-сосудистых заболеваний 176

Холестерин полезен для вашего здоровья! 179
Необходимые изменения в питании 181
1. Похудейте 181
2. Ограничьте поступление холестерина с пищей 181
3. Избирательно подходите к употребляемым липидам (жирам) 182
4. Увеличьте потребление с пищей клетчатки 184
5. Полезно выпить вина 184
6. Измените к лучшему ваш образ жизни 184
7. Подумайте о сокращении избыточного выделения инсулина 185

8. Старайтесь предотвратить избыточное содержание триглицеридов в крови 186
9. Все, что вам необходимо знать 186

Глава VIII: Питание и спорт   189

Учитывайте запас жизненных сил! 191
Спорт может принести вам пользу 192
Не сворачивайте с правильного пути 193

ЧАСТЬ II

Глава I: Разновидности образа женского тела
                                                       197

— *Эталоны красоты* 197
— *Женщины, которые считают себя полными* 198
— *Как узнать свой идеальный вес* 199
1. Формула Лоренца 199
2. Коэффициент массы тела — BMI или формула Кьютелла 199
Распределение жировых клеток в организме 200
1. Измерение объема жира 200
2. Мужской тип ожирения 201
3. Женский тип ожирения 201
4. Глубокие отложения жира 201
Поставьте перед собой реальные цели 202

Глава II: Пища как символ   203

Еда как средство успокоения 204
Еда ради удовольствия: продукты цивилизации . . . 205
Необходимость в изменении отношения к принятию пищи 207

Глава III: Юность   208

Откажитесь от плохого питания 208
Как научиться правильно питаться 212
1. Употребляйте достаточное количество белковой пищи . 212
2. Убедитесь, что количество потребляемого кальция достаточно 212

3. Потребляйте достаточное количество железа 213
4. Потребляйте оптимальное количество витаминов . . . 214
Похудание для молодых 214
Булимия и анорексия 215
Свод правил для стройных 216
Влияют ли противозачаточные таблетки на увеличение веса 218
Юность, спорт и питание 219
Как следить за кожей лица 222
Как предупредить образование целлюлита 223

Глава IV: Тридцатилетняя женщина   225

Рекомендации как сохранить хорошую форму 225
1. Обеспечьте достаточное употребление магния . . . 225
2. Потребляйте достаточное количество витамина B6 . . 227
3. Обеспечьте организм витамином C 227
4. Избегайте гипогликемии 228
Что тормозит процесс похудания 228
1. Полнее ли женщина по сравнению с мужчинами . . . 229
2. Распределение жира 229
3. Более глубокая восприимчивость к гормонам 230
4. Женщины, у которых одна диета сменяет другую . . 230
5. Не допускайте недостатка белка в организме 231
6. Влияние стрессовых ситуаций 231
Полноценное питание во время беременности 232
Прресловутый целлюлит 235
Задержание жидкости в организме 238
Как избавиться от недомоганий 239
Как бросить курить не прибавляя в вес 239
Что делать если вы вегетарианец 240

Глава V: Когда женщине 50   244

Менопауза 244
1. Что такое менопауза? 245
2. Последствия менопаузы 246
3. Ешьте хорошо, чтобы оставаться молодыми 246
4. Как защитить ваши кости 248
5. Гормональная терапия 248
Критический период и вес 249

1. Как избежать жировых отложений во время менопаузы 252
2. С применением гормонотерапии 254
3. Как похудеть в период менопаузы 256
Другие факторы во время менопаузы 257
1. Обратим внимание на депрессию! 257
2. Обратите внимание на ацидоз 259
Спорт в пятьдесят лет 260
Женщины, страдающие диабетом 262
1. Тип II- или "жирный диабет" 262
2. Диабет I типа или "Тонкий диабет" 263
Запоры у женщин 264
Колит у женщин 266
Предотвращение онкологических заболеваний с помощью
   продуктов питания 269
1. Что такое онкологическое заболевание? 269
2. Причины онкологических заболеваний 270
3. Продукты питания и питательные вещества, которые
   могут быть причиной возникновения онкологических заболеваний 270
4. Способы приготовления пищи и онкологические заболевания 274
5. Питательные вещества, защищающие от онкологических
   заболеваний 274
6. Некоторые основные принципы, с которыми нужно счи-
   таться 276

**Глава VI: Третий возраст в жизни женщины: золо-
   тые годы**

                                                        278

Естественное старение 279
1. Изменения в организме 279
2. Функциональные изменения 279
3. Изменения в обмене веществ 280
Изменение образа жизни 280
1. Женщины, живущие в собственных домах 280
2. Женщины, живущие в домах престарелых, домах отдыха и специальных учреждениях 281
К чему приводит недоедание 282
Сражаться с предвзятыми мнениями 282
Правильно питаться, чтобы жить хорошо 282
Пища, богатая витамином D 285

Продукты, богатые фолиевой кислотой 286
Будьте осторожны с диетами 287
Еда как удовольствие и общение с друзьями 287

Глава VII: Плохие медикаменты 289

Психотропные средства 290
1. Антидепрессанты 290
2. Нейролептические средства 290
3. Транквилизаторы и успокоительные 290
4. Литий 291
Бета блокирование 292
Кортизон 292
Противовоспалительные средства 292
Антибиотики 293
Тонизирующие лекарства 293
Женские гормоны 293

ПРЕДИСЛОВИЕ К РУССКОМУ ИЗДАНИЮ

Книги Мишеля Монтиньяка широко известны за рубежом. Они изданы во многих странах мира тиражом около шести миллионов экземпляров! Популярность Монтиньяка огромна, его портреты печатаются на обложках крупнейших журналов, телевидение уделяет ему постоянное внимание. Большими тиражами вышли видеокасеты по его Методу похудания, недавно появился выпущенный на французском и английском языке CD-ROM по Методу Монтиньяка. Эта известность пришла к нему не случайно. Сам страдая от излишка веса, работая в одной из фармакологических кампаний США, которая в числе прочего занималась и проблемами разработки питания для космонавтов, он создал свой Метод похудания. Он сделал это после того, как убедился, как и многие другие полные люди, что применяемая во всем мире "калорийная теория" похудания не работает. Его первая книга была посвящена тому, как, питаясь в ресторанах практически ежедневно, можно похудеть. По роду своей работы он представлял крупную фармакологическую американскую фирму в Париже и каждый вечер должен был водить гостей фирмы в лучшие рестораны. Он потолстел. Безрезультатно испытав десятки разных систем похудания, он разработал собственную, которая была предельно проста и очень удобна. Он пришел к выводу, что чаще всего ожирение связано с растройством поджелудочной железы, кото-

11

рая, выбрасывая в кровь излишний инсулин, способствует переработке углеводов в жировые отложения нашего тела. Он предложил удалить из пищи, которую вы едите, "плохие углеводы": сахар, крахмал, плохие жиры, а также кофеин и ряд других продуктов, которые провоцируют выработку излишнего инсулина и являются причиной увеличения вашего веса. А самое главное, он предложил получать удовольствие от процесса питания - есть вкусно, не голодая и не ограничивая себя в еде. Наш организм очень чувствителен ко всяким ограничениям, в ответ на них он начинает накапливать жировые прослойки про запас, на черный день.

Книги рецептов Монтиньяка также пользуются большой популярностью в мире - они содержат сотни великолепных, утонченных гастрономических советов - как есть вкусно и полезно!

Я заинтересовался Методом Монтиньяка два года назад. Перевел его книгу "Ешьте, чтобы похудеть" на русский язык и решил испытать Метод на себе, поскольку мой вес к тому времени уже достиг 140 килограммов. Это было печальное наследство моей длительной работы в Антарктиде в экстремальных условиях (морозы до восемьдесяти градусов, высота до 4 000 метров над уровнем моря, огромные физические нагрузки во время трансконтинентальных походов). Здесь я провел с перерывами около десяти лет, теряя и приобретая при этом десятки килограммов веса, что полностью расстроило мою поджелудочную железу. Метод Монтиньяка поразил меня тем, что от процесса похудания можно было получать удовольствие. Голодать запрещалось, надо было есть вкусно и вволю. Это было полной противоположностью тому, что мне всегда внушали врачи дома и за рубежом, что было написано в сотнях книг по похуданию.

Результаты были поразительны: за год я сбросил 37 килограммов. Меня не узнавали мои знакомые. Жена, которая участвовала в этом эксперименте, не нуждалась в похудании, но она с удовольствием приняла участие в эксперименте и стала себя значительно лучше чувствовать. Вот уже скоро полтора года, как мы с удовольствием питаемся по Монтиньяку. Когда у нас бывают гости, они поражаются вкусной и обильной пище нашего стола. Одно из самых страшных нарушений Метода — это пропустить часы приема пищи. Нельзя испытывать чувство голода - одна из заповедей Монтиньяка.

Летом прошлого года я познакомился с ним. Побывал у него в его поместье в Провансе, где он восстанавливает небольшой замок XV века. Здесь он живет и собирается проводить презентации своих рецептов и специальные приемы для демонстрации своего Метода. Мы подружились с Мишелем. Недавно он побывал в Москве. Он уезжал в полном восторге от москвичей и нашей столицы. Он очень надеется, что перевод его книги поможет нашим россиянам и, особенно, россиянкам войти в форму. Наблюдая москвичей в метро, театре, цирке и на улицах, он пришел к выводу, что у нас нет таких ужасных форм ожирения, которые можно видеть в изобилии в США. Наши женщины смогут широко воспользоваться его Методом, а потом за ними, он надеется, последуют и мужчины. Когда мы обсуждали с ним специфику применения Метода в России, наши привычные блюда, он очень одобрительно отозвался о гречневой каше, которую попробовал впервые в жизни и увез с собой во Францию мешочек гречневой крупы. Ему очень понравились наши овощные супы, салаты, кислая капуста, наш серый и черный хлеб - вся эта пища прекрасно укладывается в его Метод. Когда я со вздохом говорил о любимой у нас картошке, то он сказал, что во второй фазе Метода на ужин можно есть вареный картофель в мундире с оливковым маслом, но без животных белков.

Вы прочтете эту книгу с интересом и, надеюсь, последуете тем советам, которые найдете при изложении Метода. Если книга будет популярна у нас, то мы надеемся, что со временем издадим и книгу рецептов вкуснейших блюд кухни Монтиньяка.

Переводить эту книгу мне помогали Валентина Маркусова, Ирина Власова, Елена Кузнецова и Лилия Цветкова. Сергей Осипов, кандидат медицинских наук, взял на себя труд проверить перевод как врач. Всем им я очень признателен. Но самую главную роль сыграла Инвестиционная финансовая компания "Метрополь" и ее директор Михаил Слипенчук, без финансовой поддержки которой издание этой книги в России было бы невозможно. За это я приношу ему искреннюю благодарность.

Президент Международного Фонда Экологии
Человека, член-корреспондент Российской
Академии Наук, заслуженный профессор МГУ

А. П. КАПИЦА

ПРЕДИСЛОВИЕ

Необходимость публикации третьей книги о Методе Монтиньяка вызывает удивление у некоторых читателей, поскольку две предшествующие книги были распроданы с беспрецендентным успехом. Может быть стоило их немного переделать наподобие Рембо 1 и Рембо 2 и таким образом продолжить успешную продажу двух первых книг? Разве книги "Как питаться в ресторане и худеть" и "Ешьте, чтобы похудеть" рассказали недостаточно о секретах Метода Монтиньяка? Огромное количество писем читателей и публикаций об этих книгах в прессе, включая комментарии видных специалистов в области питания, доказывают, что дело совсем не в этом.

Первая книга, написанная в 1986 г., предназначалась, в основном, для тех, кто привык питаться в ресторанах. Вторая — "Ешьте, чтобы похудеть", содержащая идентичные объяснения основных принципов Метода, была ориентирована на питание в семье и читательниц, которые большинство блюд приготавливают дома. Эти две книги были практическими и их целью было облегченное изложение подхода к питанию. Предполагалось, что инструктивный и легко доступный подход к принципам питания позволит добиться существенного и долговременного эффекта. Кроме метода похудания, детально излагалась теория питания, ведущая к здоровому образу жизни. Читатели смогли осознать это позднее, когда они почувствовали благоприятное воздей-

15

ствие использованных рекомендаций, которые привели их к изменению привычек питания.

По практическим причинам первоначальное представление было преднамеренно облегчено. Какой смысл бомбардировать читателя обилием научной информации, которая может отвлечь их от основных положений?

В результате, у многих сложилось впечатление, что Метод Монтиньяка связан только с раздельным употреблением крахмалов и жиров. На собственном опыте мы убедились, что эта информация была слишком примитивной и недостаточной для получения хороших результатов. Поэтому в 1989/ 1990 годах было решено ввести главу о гликемическом индексе, на котором базируется изложение основных принципов. Этих дополнительных объяснений оказалось недостаточно, чтобы остановить многочисленную группу диетологов от продолжающегося представления Метода Монтиньяка как несформулированного. В качестве примера можем напомнить о докторе Д.Фрикер, который довольно неуклюже попытался изобрести "ассоциативную" диету, чтобы привлечь внимание средств информации к Методу Монтиньяка. По мнению доктора Фрика, Метод Монтиньяка может быть сформулирован двумя принципами: "избегайте углеводов и необузданного употребления жиров".

Такие ошибочные обвинения не смогли никого ввести в заблуждение, а тем более практикующих врачей и специалистов по сердечно-сосудистым заболеваниям, которые постоянно замечали, что использование Метода Монтиньяка вело к систематическому улучшению параметров крови, холестерина и триглицеридов, а также к существенному и продолжительному похуданию.

Публикация третьей книги представлялась необходимой по нескольким причинам. Во-первых, были сформулированы выводы из программ обучения Методу, использование которых в течение восьми лет доказало их обоснованность как по числу его последователей, так и по количеству публикаций, посвященных ему.

Представлялось важным и необходимым повторить сущность обучения и прояснить или даже снова установить его границы.

Благосклонное восприятие Метода Монтиньяка произошло не потому, что это "диета" в традиционном и ограничительном смысле термина вела к потере веса. Метод позволяет поддерживать оптимальную жизненную энергию и может быть использован как способ улучшения жизни и здоровья. Большинство критиков, включая специалистов по питанию, неправильно оценили предназначение двух первых книг. Они добровольно сконцентрировали внимание на ограничительных правилах Фазы 1 Метода, слишком подчеркивая их аскетизм и акцентируя внимание только на исключение ряда продуктов питания.

Из опыта врачей и по письмам наших читателей мы знаем, что, в действительности, Фаза 1 была лишь промежуточным этапом. Те, кто следовали ей, добились тем больших успехов, чем более длительное время придерживались ее. При этом Фаза 1 никогда не была ограничительной, а скорее избирательной. Каждый, кто следовал ей, знает, что после этого переходного периода наступает Фаза 2, которая включает основные правила Метода, ведущие к гармоничному изменению привычек питания. Однако, есть много читателей, которые лишь поверхностно просмотрели Фазу 1, запомнили основные принципы Метода и остались в "стабилизирующей" фазе. Их опыт свидетельствует, что те же самые результаты могут быть достигнуты, но им потребовалось больше времени, чтобы потерять лишние килограммы. Использование Метода весьма успешно и для стабилизации веса.

По вышеупомянутым причинам мы решили представить Метод по-другому. Именно поэтому мы настаиваем на изложении фундаментальных принципов, которые приводят нас к пониманию, как современная культура успешно адаптировала плохие привычки питания, последствием которых стало катастрофическое нарушение обмена веществ (в частности, ожирение, диабет и сердечно- сосудистые заболевания).

Мы покажем, как наши изменения привычек питания, легко приспособляемые к теперешней жизни, могут привести к противоположному.

Для женщин, которых можно назвать "пристрастившимися" к некоторым продуктам (например, сахару), и для тех, у кого серьезные проблемы с избыточным весом, или для тех, кто торопится получить благоприятные результаты мы рекомендуем начать с Фазы 1 (которая может рассматриваться как промежуточная стадия). Это позволит читательницам, которые должны будут радикально изменить плохие привычки, начать реальное исправление, предоставить организму возможность отдыха и получить за короткий период обнадеживающие результаты. Эти "переходная" и "ускоренная" фазы приведут к тому, что всегда было основой Метода: к оптимальной фазе.

Тысячи доказательств, которые мы в течение многих лет были в состоянии собрать от наших читателей, убедили нас, что результаты применения принципов питания, которые мы рекомендовали, различаются в зависимости от пола.

Однако, совершенно неправильно говорить, как это делают некоторые, что "Метод более пригоден для мужчин чем для женщин". Мы всегда утверждали, что польза от использования принципов не зависит от пола, хотя для некоторых женщин это происходит несколько иначе.

Имеются несколько объяснений этого явления.

Женщины, которые начинают пользоваться Методом, обычно "сильно перегружены избыточными калориями в течение длительного времени". Некоторые из них десятилетиями сидели на диете. Можно сказать, что их организм обладает защитной реакцией к любым изменениям питания, даже к тому хорошему, что необходимо для его разблокирования. Один из докторов из Руана объяснил, почему его пациентка должна была ждать семь месяцев, прежде чем она начала терять вес. Затем ее десять лишних килограмм "расплавились" в несколько недель. Она придерживалась ограничительной диеты 25 лет!

Женский организм, кроме повышенной чувствительности, обладает более сложным строением чем мужской. Гормональные изменения происходят чаще и их побочный эффект может привести к увеличению веса или, по крайней мере, к замедлению процесса похудания. Женщины чаще используют лекарства. Вследствие этого у некоторых из них возникает противоположная реакция на обмен веществ в организме, которая может непосредственно воздействовать на замедление процесса похудания. Часто подбор другого лекарства без изменения необходимого лечения может привести к разблокированию ситуации.

На основании ежедневного использования Метода пациентами в течение многих лет, доктора из "Института жизнедеятельности и питания" во Франции, а также те, кто направляли им письма, в большинстве своем работающие доктора, внесли большой вклад в проблему приобретения веса и в изучение того, что мы называем сопротивлением потери веса. Использование их опыта и их помощь способствовали созданию этой книги. Читатели и, в частности, читательницы извлекут максимальную пользу из применения принципов Метода и сделают его использование более эффективным.

ВВЕДЕНИЕ

В природе мы не встретим таких явлений, как избыточный вес и тем более ожирение. В животном мире фактически нет и следа этого, если не принимать во внимание домашних животных, и на это есть веские причины.

В примитивных обществах ожирение, как правило, было очень редким. Отдельные случаи ожирения могли объясняться серьезными проблемами со здоровьем, особенно гормонального характера. В некоторых племенах именно исключительная природа ожирения дала начало настоящему культу тучности. На деле это явление было уникальным.

В последующие столетия, во времена великих цивилизаций, которые хорошо описаны в документальных источниках, ожирение было большей частью атрибутом богатых, которым, вследствие их жизненного уровня, была доступна более "обработанная" пища. Богатые в прошлом были более тучными чем бедняки не потому, что ели больше, а потому, что они питались по-другому. Почему это произошло, Вы легко поймете из следующих глав.

Сегодня эта тенденция полностью изменилась, и вероятность обнаружить ожирение в наименее благополучных классах выше, тогда как богатые люди стройнее.

Наилучший способ понять современную проблему ожирения — это исследовать ее в стране, где она приобрела такой важный характер, что стала национальной катастрофой, а именно в Соединенных Штатах Америки. 64% американцев слишком тучные (во Франции — 28 %), и 20% — страдают от ожирения (в то время как на большей территории Франции их число не достигает 3%–5 %).

Если история говорит нам, что ожирение — побочный продукт цивилизации (как в случае с Египтом или Римской империей), то становится понятным, почему это явление особенно наглядно проявляется сегодня в США. Не эта ли страна действительно представляет передовую модель современной цивилизации, уже вступившую в фазу своего заката.

Если вы спросите врача, почему природа наградила вас "излишним весом", и будете клясться всеми богами, что вы не едите практически ничего и делаете достаточное количество физических упражнений, он непременно оседлает старого конька - аргумент о наследственности. Если ваш диетолог не может справиться с задачей помочь вам сбросить лишний вес, не ждите от него, чтобы он подверг сомнению правильность своего подхода к диете. Во всем будут винить вас.

Если вы действительно не едите тайком, вам скажут, что у вас плохая наследственность.

Действительно, на ожирение может оказать влияние наследственность, но она не может нести ответственность за все. Это может и не произойти, но если случится, то вы верите, что это судьба.

Сто лет назад в Соединенных Штатах не было ожирения, точнее, оно было не больше, чем везде. Невозможно предположить, что с тех пор десятки миллионов американцев, страдающих ожирением в 1994 г., произошли от нескольких редких тучных людей, которые были исключением в XIX веке, и что они унаследовали свой избыточный вес от своих предков! Не удивительно ли, что большинство американцев, страдающих в наши дни ожирением, черные, тогда как среди их африканских родственников не встретишь толстяков.

Существует причина, по которой средний вес американцев поступательно растет от поколения к поколению, тем более, что это явление стало наблюдаться сравнительно недавно и данные относятся к нескольким последним десятилетиям.

Не исключено, что именно плохие привычки в питании последовательно вели американцев к развитию условий для плохой наследственности, что свидетельствовало бы о ее не врожденном, а приобретенном факторе.

Вторая причина, которую обычно предлагают специалисты для объяснения избыточного веса и даже, более того, ожирения — это "переедание". Другими словами, сказанное означает, что люди тучные потому, что они слишком много едят. Они будут настаивать на том, что это есть результат повышения уровня жизни и общество потребления превратило наших соотечественников в неисправимых "пьяниц" и безнравственных "обжор"... и это, когда все обеспокоены проблемой недоедания в странах Третьего Мира!

Вам будут усиленно навязывать стереотип "толстяка, который все время ест" и всегда изображается в карикатурном виде в фильмах.

С другой стороны, у вас не будет проблем при выявлении среди ваших друзей, знакомых или даже членов вашей собственной семьи образца профессионального обжоры, который не только не толстый, а безнадежно худой. Именно для него вы всегда высматриваете что-нибудь особенное, что помогло бы ему поправиться.

Когда вы опрашиваете полных людей, вы выясняете, что, за некоторым исключением, количество потребляемых ими калорий невероятно низко. Этот парадокс не должен удивлять нас. Далее мы покажем, что чем больше люди в отчаянии считают калории, тем они полнее, и наоборот.

Если бы вас заставили найти меню свадьбы, крещения и причастия ваших дедушек и бабушек или даже ваших родителей, вы бы были поражены невероятным количеством еды, которую они могли поглощать во время этих церемоний.

Вы осознаете то, что было давно доказано: в настоящее время мы едим совсем не то, что ели они.

Затем искусно, в деталях, вам постараются объяснить, что если люди могли есть так много в прошлом, то это потому, что они использовали гораздо больше энергии: они более часто ходили пешком, имели несчастье подниматься по лестницам, жили в менее отапливаемых домах и т.д.

Это, вероятно, справедливо для некоторых людей, особенно относящихся к более низким социально-профессиональным классам. Если мы проанализируем ситуацию в средних классах того времени, то увидим, что эти люди ходили пешком больше для удовольствия, чем по необходимости. Автомобили были, возможно, менее распространены, но это не означает, что эти люди бегали по Франции с котомкой на спине, как это было несколько столетий назад. Общественным транспортом и экипажами пользовались гораздо чаще, чем сейчас. Безусловно, они больше ходили по лестницам, но это были не такие большие лестницы, поскольку высоких зданий в то время еще не было. Центральное отопление не было столь повсеместно распространено и им пользовались экономно, совсем не так, как это происходит в конце двадцатого века. Общество "потребления" еще не возникло. В то время люди носили значительно больше одежды, чем сейчас. Поразительно количество одежды, носимое ими летом. Таким образом, один факт значительно компенсирует другой.

Попытка доказать, что наши современники являются полными потому, что потребляют гораздо больше энергии, чем тратят — аргумент не убедительный, и объяснение нужно искать в чем-то другом. Вполне понятно, что эндемическое ожирение в западных обществах может быть только результатом последовательных изменений в наших привычках питания, тех, которым мы следуем в течение двух столетий. И эти процессы стали приобретать массовый характер где-то со времен последней Мировой Войны. Из последующих глав вы узнаете, что ожирение не только непосредственно связано с современными видами продуктов, но оно является результатом соблюдения в течение длительного времени низкокалорийных диет.

Объяснения, данные в этой книге, очень просты, и принятые методы обучения позволят вам узнать все необходимое.

Единственное, о чем я вас сразу попрошу, это сделать некоторое усилие и прочесть несколько страниц объяснений, которые вы найдете в следующих главах. Без этих существенных данных вам будет трудно эффективно применить принципы питания Метода на практике.

Я всегда очень расстраиваюсь, когда встречаю кого-либо, кто говорит, что следовал, как они неправильно выражаются, "диете Монтиньяка" и без труда сбросил двадцать фунтов, а затем снова набрал половину из них. Это всегда кто-нибудь из тех, кто никогда не читал мою книгу, а удовольствовался применением нескольких основных принципов, вырванных из контекста.

Если эти принципы применять без некоторого осмысливания, то они могут дать эффективные быстрые результаты. Затем вы дойдете до момента, когда вы будете следовать им "буквально", без понимания, почему вы потеряли в весе... У вас возникнет естественное желание вернуться к своим старым привычкам питания. Вы незамедлительно возвратите потерянные килограммы.

Если подобные случаи вам хорошо знакомы, я бы хотел повторить, что Метод Монтиньяка — это не "диета", а образ жизни, ведущий к усвоению новых привычек питания. Этот Метод основан на выборе более полезных принципов. Когда вы проанализируете простые принципы и цели Метода, применение их станет детской игрой.

Если вы держите в руках эту книгу, значит вы хотите раз и навсегда избавиться от лишних килограммов, отравляющих вашу жизнь.

Внимательно читая следующие главы, вы поймете, почему традиционные диетологи обманывали вас, заставляя есть меньше, чтобы похудеть. Вы знаете, по опыту, что это неправда.

Во второй части вы поймете, почему и как вы набираете лишние килограммы. Вы убедитесь, что существует только одно серьезное решение, чтобы избавиться от них навсегда: ЕСТЬ! Но есть по-другому...

ЧАСТЬ I

Глава I

МИФ О "ТЕОРИИ ПЕЧИ"

Из вышесказанного становится ясно, что чрезмерная полнота — это побочный продукт цивилизации. Из истории человечества мы знаем, что от ожирения страдали в основном представители привилегированных сословий — военноначальники, аристократы, священнослужители. Излишний вес в те времена не был основным недугом человека.

До середины 20 века эта проблема не вставала остро и не принимала столь угрожающих размеров, как это случилось позже в Соединенных Штатах Америки. Очевидно, для того, чтобы это явление проявилось в полном объеме, должны были сложиться определенные социально-культурные условия. Продукты питания всегда считались "источником, необходимым для поддержания жизни". Каждый человек был убежден в том, что пища влияет на его здоровье. Гиппократ, за пять столетий до Христа, утверждал, что пища является лучшим лекарством.

Кроме того, продукты питания имели особое значение в силу их постоянной нехватки и немалой дороговизны. Всего лишь несколько десятилетий назад люди были постоянно обеспокоены возможной угрозой голода, нехваткой продовольствия или его ограничением. На сегодняшний день потребительская корзина представляет собой изрядно перегруженную потребительскую тележку. Продукты стали настолько доступными, что излишество в их потреблении, которым многие из нас так увлеклись, оскорбляет голодающих из стран Третьего Мира.

Теперь мы уже никогда не зарабатываем себе на хлеб потом и кровью, и переполненные мусорные баки с пищевыми отходами являются красноречивым тому доказательством.

Прежде пищевые отходы с наших столов или отправлялись на переработку, или же ими кормили животных. В наши дни остатки утилизируют вместе с остальным мусором общества потребителей. Необходимо отметить, что столь непочтительное отношение к продуктам питания связано с таким важным фактором, как их перепроизводство. Этот фактор можно назвать "избытком продуктов". Аграрно- продовольственная революция, которая произошла в конце Второй Мировой Войны, сделала нашу ежедневную "манну" банальным событием, изменившим образ мышления людей.

С 1945 года перед нашим обществом встали две основные проблемы:

1. Большой прирост населения, как результат послевоенного взрыва рождаемости, и перемещение десятков тысяч беженцев.

2. Интенсивная урбанизация, как результат вышеупомянутого, и, вместе с тем, быстрое сокращение численности сельского населения.

Возникла необходимость производить как можно больше продовольствия и расширить его ассортимент. Так впервые в истории человечества появилось несоответствие между зонами производства и зонами потребления продуктов питания. В 1950 году 80% потребляемых продуктов в провинциальном городе производилось в радиусе 50 км от него. Остальные 20% поставлялись из соседних или отдаленных областей. В настоящее время соотношение изменилось коренным образом.

В те времена, когда продовольствие производилось на месте его потребления, излишки и остатки использовались здесь же в качестве удобрения. Теперь, когда продукцию начали привозить из области ее производства, появилась необходимость в поиске качественно новых видов удобрений.

Последние пятьдесят лет индустрия сельского хозяйства постоянно развивалась, повсеместно используя технологии, продуктивность которых значительно выше, чем в прежние времена. Эти преобразования возымели определенное воздействие.

I. Продуктивность смогла значительно повыситься за счет:

1.1. Механизации производства;

1.2. Широкого использования химических удобрений;

1.3. Массового использования пестицидов, инсектицидов и фунгицидов;

1.4. Организации в промышленном масштабе интенсивного воспроизводства.

II. Технология хранения продовольствия развивалась по двум направлениям:

1.1. Путем распространения холодильных и морозильных камер;

1.2. За счет использования как пищевых добавок, так и других химических консервантов.

Полученный результат превзошел все ожидания: внедряя вышеупомянутые технологии, человечество входило в пору изобилия продуктов питания. Изменения, происшедшие в сельскохозяйственной индустрии, незамедлительно отразились на среднем весе людей западных стран.

В Соединенных Штатах проблемой избыточного веса и поисками ее решения занялись еще в 30-ые годы. Ученые того времени (хотя диетология и питание не были признаны медицинскими специальностями) выдвинули гипотезу, связывающую увеличение среднего веса человека с переизбытком продуктов. Так и родился миф о "печи".

Ученые полагали, что организм человека работает аналогично печи. Для того, чтобы жить, необходима энергия, получаемая нами из пищи. В основе этой гипотезы лежит соотношение между потребляемой и расходуемой энергией...

По этой теории полнота и ее следующая стадия — ожирение являются результатом несоответствия между поступлением и усвоением энергии в организме.

Другими словами, избыточные килограммы веса — это неизрасходованная энергия. Следовательно, причины вашей полноты — избыток потребляемой пищи или недостаток физических тренировок, либо то и другое вместе.

Данная гипотеза, не лишенная определенной логики, привела к теории избыточных калорий. Количество потребляемой энергии можно измерять в единицах калорий. Поэтому все продукты можно классифицировать по энергетическому содержанию (калорийности), весу и их принадлежности к категориям — углеводы, жиры, белки.

Недостатком данной теории является арифметический подсчет количества калорий на тарелке. Во внимание не принималось, что происходит в организме во время сложного процесса пищеварения. Так родилась традиционная диетология, в основе которой лежала теория калорий. Взяв за основу дневную норму человека в 2500 калорий, вы можете корректировать свой вес в ту или иную сторону путем простого подсчета. Так, потребляя 3000 калорий в день, вы на 500 единиц превышаете норму, что приведет к увеличению веса. Если же дневная норма составляет 2000 калорий, образуется нехватка в 500 единиц, которые будут компенсироваться за счет резервов организма, что должно привести к потере в весе.

Основная идея теории калорийности продуктов заключается в том, что вы должны меньше есть, чтобы похудеть. Ваша прибавка в весе означает, что вы виноваты сами, поскольку едите много.

Основанная на наивном понимании проблемы схематическая теория калорий в течение нескольких десятилетий занимала важное место в диетологии. Ученые-диетологи, выступая в защиту энергетической модели, преднамеренно пренебрегали явлениями адаптации и регулирования организма человека. Тем самым отрицались уникальные особенности индивидуума. Не принималось во внимание качество продуктов, которое является немаловажным фактором.

Вопреки принятой теории, человек, страдающий ожирением, не обязательно потребляет большое количество пищи. Во многих случаях наблюдается прямо противоположная картина. Статистические данные, полученные в результате опроса людей, страдающих избыточным весом (как во Франции, так и в остальных странах Запада), показывают, что:

— только 15% страдающих ожирением едят слишком много (от 2800 до 4000 калорий);

— 35% из них потребляют нормальное количество пищи (от 2000 до 2700 калорий);

— 50% потребляет небольшое количество калорий (от 800 до 1500 в день).

При занятии профессиональным спортом для сохранения стабильного веса дневная норма калорий колеблется в каждом отдельном случае от 2500 до 9000 единиц. Количество калорий, необходимых спортсмену, зависит не от вида спорта, которым он занимается, а от индивидуальных особенностей человека. А. Мимоун, бегун на длинные дистанции, сохраняет свой вес с учетом обязательных ежедневных тренировок, потребляя в день только 2000 калорий. Знаменитому велосипедисту Д. Анкутилу требуется для поддержания веса 6000 калорий.

Медицинская литература хранит загадочное молчание по данному вопросу. Исследования показали, что количество потребляемых калорий не влияет на вес человека. Не существует четкой взаимосвязи между размером человека и количеством потребляемой с пищей энергии.

Ярким примером неэффективности теории калорий являются США. За последние 45 лет 90 миллионов американцев постоянно пользуются низкокалорийной диетой. Рецепты диет постоянно рекламируются средствами массовой информации. Чтобы добиться успеха, американцы зачастую перегибают палку. Они не только подсчитывают съеденные калории, но и, одержимые идеей сжигания максимального количества энергии, изнуряют себя физическими упражнениями.

Статистические данные на сегодняшний день по проблеме ожирения в Соединенных Штатах ужасны. Парадокс заключается в том, что американцы признаны чуть ли не самыми полными людьми в мире, хотя треть населения страны следует низкокалорийным диетам и интенсивно занимается спортом. Две третьих населения Америки страдают от избыточного веса (во Франции лишь одна треть), 1 из 5 американцев страдает от ожирения. Во Франции это соотношение 1 к 20. В Америке достаточно часто можно встретить людей весом более 300 кг.

В американском документальном фильме о проблемах ожирения, показанном в ноябре 1990 года по французскому телевидению, был продемонстрирован страдающий ожирением человек с весом более 460 кг. В свою очередь в Книге Рекордов Гиннеса зарегистрирован человек с весом более 622 кг. Конечно, им оказался американец!

США являются блестящим примером провала теории низкокалорийных диет, повсеместно распространенной в стране в течение последних 40 лет.

В других западных странах, где насаждалась теория низкокалорийных диет, результаты идентичные.

Теперь мы знаем о неэффективности низкокалорийной диеты и причинах ее неудачи. Гипотеза, на которой строилась данная теория, не была проверенной и обоснованной с научной точки зрения и оказалась ошибочной.

В последующих главах мы увидим, что данная теория представляла опасность для организма человека.

Глава II

КАК НЕ НАДО ХУДЕТЬ!

Низкокалорийные диеты: опасность!

Ранее мы рассмотрели, как вместе с концепцией энергетического баланса в человеческом организме исторически развивалась идея низкокалорийных диет... Многочисленные примеры ярко демонстрируют ее неэффективность.

Профессор Д. Гартнер из Мичиганского университета вместе со многими своими коллегами полагает, что первым определяющим фактором ожирения в США является "приверженность к низкокалорийным диетам, следующим одна за другой". Такие низкокалорийные диеты действительно приводят к "диетической неудаче".

Все (и особенно женщины), кто пытался похудеть, используя низкокалорийную диету, знают, что сначала она дает определенные результаты, которые никогда не удается сохранить. Во многих случаях впоследствии вы можете обнаружить дальнейшее увеличение своего веса. Попробуем понять, почему это происходит, исследуя поведение организма.

Допустим, что дневной рацион человека составляет около 2500 калорий и что он обеспокоен несколькими лишними килограммами. Если мы снизим эту порцию калорий до 2 000 калорий, как рекомендует классическая теория низких калорий, то создадим дефицит из 500 калорий.

Организм, который привык к получению 2500 калорий, будет чувствовать их недостаток и заимствовать эквивалент 500 недостающих калорий из резервов жира. Таким образом вы соответственно потеряете в весе.

Через некоторое время, разное для каждого человека,

процесс дальнейшего похудания прекращается, несмотря на продолжение низкокалорийной диеты. Иначе говоря, происходит постепенное урегулирование между "кредитом" и "дебетом".

Так как организм теперь получает только 2 000 калорий в день, он "решает" использовать их более эффективно и вы наблюдаете стабилизацию веса. Если вы продолжите эксперимент, то через некоторое время обнаружите, что кривая веса устойчиво стремится вверх. Парадоксально, вы едите меньше, а ваш вес увеличивается. Это легко объяснимо. Человеческий организм фактически управляется инстинктом выживания, который начинает действовать как только появляется угроза ограничения поступлений. Организм адаптируется к снижению поступления энергии, продолжавшейся в течение длительного времени. Руководствуясь инстинктом выживания, организм уравновесит свои издержки с поступающей энергией и через некоторое время снова приспособится к дальнейшему сокращению его расходов. Даже снижение поступления энергии до 1700 калорий в день позволяет организму восстановить снова свои резервы.

Недостаточность продуктов питания в результате засухи и других причин голода в былые времена — не такие уж отдаленные события. И хотя память о них спрятана в подсознании, она может выйти на поверхность по малейшему сигналу.

Человеческий организм еще обладает тем же инстинктом выживания, что и собака, которая закапывает кости, даже если она умирает от голода. При наступлении голода у животных всегда просыпается инстинкт самосохранения для создания резервов.

Когда организм попадает в ситуацию так называемого недоедания, у него особенно повышается сопротивляемость этому процессу. При любом случае он не упустит возможности восстановить свои резервы.

Те, кто следуют низкокалорийным диетам, хорошо знают, что малейшее отклонение от диеты, например, в выходные дни, может восстановить те два — три килограмма, на потерю которых были потрачены недели. Именно по этой причине, мы советуем нашим читателям никогда не пропускать приема пищи. Если вы отказываете себе в одном приеме пищи, то организм впадает в панику. Будьте уверены, что из-за стресса, которому он был подвергнут, во время следующего приема пищи организм наверстает упущенное и образует резервы.

Обычно собаку (по очевидным практическим соображениям) кормят только один раз в день, что очень вредно. Во многих случаях этим можно объяснить проблему избыточного веса домашних животных.

Эксперименты, выполненные на лабораторных животных, ясно продемонстрировали, что, животные, которых на протяжении долгого времени кормили только один раз, ожирели. Животные, которые получали то же количество пищи, распределенное в течение дня на пять или шесть приемов, сохраняли оптимальный вес.

Мы уже отметили, что ожирение труднее побороть у женщин, чем у мужчин. Это связано со специфической физиологией женского организма и мы поговорим об этой проблеме подробно во второй части этой книги. Мы постараемся объяснить, почему в женском теле больше жировых тканей, чем у мужчин. Причиной этому является большая численность жировых клеток у женщин.

Мы давно знаем, что ожирение у женщин (как и у мужчин) ведет к увеличению объема каждой жировой клетки (именно в этом проявляется специфика женщин) и к увеличению числа этих клеток. Процесс этот необратим и приводит к драматическим последствиям. Снижения объема жировой клетки можно добиться, но сократить их число, если оно возросло, невозможно.

Исследования показали, что данный процесс возникает прежде всего при ограничении поступления (низкокалорийная диета) в организм продуктов питания. В результате в женском организме просыпается инстинкт выживания и формируются новые жировые клетки. Именно этот инстинкт позволяет организму впоследствии быстрее, чем обычно, наращивать потерянный жир. Кроме того, увеличивается объем жира для восстановления потерянного потенциала.

Как мы уже показали, низкокалорийная диета не только иллюзорна и неэффективна, она, к тому же, опасна. Результатом ее в долгосрочной перспективе является мобилизация женской склонности к ожирению путем коварного увеличения количества жировых клеток.

При изучении ретроспективы процесса ожирения у людей (имеющих более пятнадцати-двадцати килограмм выше нормального веса) было обнаружено, что в большинстве случаев значительная часть излишнего веса образовалась в результате многолетнего и последовательного соблюдения низкокалорийных диет.

Из вышеупомянутого примера легко видеть, как, имея начальный вес в девяносто килограммов при поступлении в организм 3000 калорий, человек обнаруживает, что весит 120 килограмм, хотя теперь он съедает только 800 калорий (см. рис. 1)

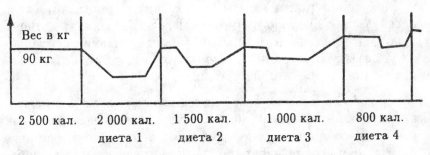

Рис. 1. Мучения людей, страдающих ожирением, при использовании низкокалорийной диеты

После начала низкокалорийной диеты следуют три стадии: похудание, стабилизация и восстановление веса. Причем каждая последующая предпринимаемая диета все менее и менее эффективна.

Вначале кривая веса понижается, приближаясь более или

менее к желаемому уровню, затем постепенно обнаруживается увеличение веса.

Именно по этой причине люди, которые упорно хотели потерять пять килограмм и которым казалось, что их вес стабилизировался, через пятнадцать лет обнаруживают, что они приобрели около 30 кг и при этом постоянно чувствовали себя голодными.

Ежедневно врачи сообщают нам, что встречают среди своих пациентов людей, которые ценой строго контролируемого рациона питания и огромных разочарований (вызванных диетой в 800 калорий), все еще не только не могут похудеть, но и чаще всего продолжают набирать вес.

Ситуация складывается даже более драматично, чем с так называемыми "диетами бедности". Этим людям не достает незаменимых питательных веществ (необходимых жирных кислот, минеральных солей, витаминов, микроэлементов). Из-за этого они ощущают сильную усталость и более уязвимы для болезней. Их защитные механизмы ослаблены. Многие из них обнаруживают сильную депрессию, а иногда отсутствие аппетита или повышенный аппетит.

Мой совет таким людям — поменять специалиста, т.е. расстаться с диетологом и обратиться к психиатру. Вероятно, эти "качели ожирения" вызывают появление сердечно-сосудистых заболеваний, даже при отсутствии высокого холестерина, диабета или курения.

Профессор Бронвелл из Университета штата Пенсильвания изучал это явление на лабораторных крысах, которых кормили, соблюдая поочередно высоко- и низкокалорийные диеты. Животные набирали и теряли вес, но ритм прибавления и потери веса менялся с каждой новой диетой. Во время первой диеты крыса похудела за двадцать один день и восстановила его через сорок шесть дней.

В течение второй диеты крыса потеряла тот же самый вес за пятьдесят шесть дней и восстановила его полностью за четырнадцать дней. С этого момента потеря веса была связана со все большими и большими трудностями, а увеличение происходило быстрее и быстрее. Этот пример прекрасно иллюстрирует, что обмен веществ может приспосабливаться к снижению калорий.

Любой дефицит калорий может фактически сокращать расходы на метаболизм организма более чем на 50%. Но каждый возврат к норме, даже на короткий период, сопровождается внезапным восстановлением веса. Чем больше промежуток между диетой и нормальным питанием, тем быстрее происходит увеличение веса.

Результаты воздействия этих "диет — качелей", которые приводят к колебаниям веса и к прогрессирующей сопротивляемости организма любому похуданию, хорошо известны. Как это ни парадоксально, данный факт игнорируется специалистами. Создается впечатление, что существует заговор молчания. Похоже, что диетологи боятся сегодня признать, что в течение сорока пяти лет были полностью неправы.

Профессор Апфельбаум, выступая на международной конференции в Анвере в сентябре 1993 года, дал положительный ответ на свой собственный вопрос: "Что касается лечения ожирения, не было ли в этом нашей коллективной ошибки?"

Не странно ли, что общественность, которая несомненно первая оплачивает расходы и страдает, не готова принять правду.

Однажды я воспользовался преимуществом приглашения принять участие в больших телевизионных дебатах по ожирению и попытался поговорить в течение нескольких минут на данную тему. Передача записывалась заранее и эта часть была вырезана из версии, прозвучавшей в эфире. Вероятнее всего это произошло потому, что никто не хотел услышать разочаровывающую правду!

Журналистка, хорошо известная своими серьезными статьями о здоровье, рассказала, как однажды она опубликовала длинную статью, осуждающую низкокалорийные диеты и объясняющую, какой мы подвергаемся опасности.

Результаты? Абсолютно никаких! Ни одного письма от читателей. Абсолютное безразличие, тогда как многие "чудодейственные диеты" всегда имеют чрезвычайный успех.

Следует отметить, что "низкокалорийная диета" в нашем Западном обществе в действительности стала частью культуры общества. Это повсеместное явление и, особенно, на американском континенте.

Как можно подвергать сомнениям принципы, которые остаются действительными в программах всех медицинских факультетов и даже составляют основу обучения официальных школ диеты, а также используются всеми общественными ресторанами, в госпиталях, школах и бизнесе.

Как можно сомневаться в принципе, который так важен в нынешней экономической структуре нашего Западного общества?

Сельскохозяйственная промышленность (производство продуктов питания) достигла сегодня больших успехов. В некоторых странах, подобно Франции, она является одной из ведущих и наиболее процветающих отраслей. Когда вы идете на выставку пищевой промышленности (подобную огромной ежегодной выставке вблизи аэропорта Ш. де Голля во Франции), вы понимаете, что перспективы развития этого бизнеса рассчитаны на низкокалорийную диету.

Все исследования рынка проводятся в этом направлении. Поэтому все новые продукты, поступающие на рынок, будут произведены исходя из этой же точки зрения. Сети отелей также подхватили вирус низкокалорийной диеты. Многие из них включили низкокалорийную еду в меню своих ресторанов. Другие организовали отдельные залы, где вместо метрдотеля ответственным является диетолог.

"Обманчивые" белковые упаковки

Среди подходов к низкокалорийной диете особо следует отметить ОНКД (очень низкокалорийная диета), которая основана на белках, упакованных в плитки.

Эта белковая диета, которая теоретически не должна

применяться при случаях ожирения (те, в которых индекс массы тела свыше 30), до сих пор, к сожалению, прописывается некоторыми практикующими докторами. Она используется женщинами вместе с лекарствами, которые они назначают себе сами, без всякого надлежащего медицинского наблюдения.

1. На чем основана белковая диета?

Она основана на использовании для нормального питания в течение двадцати-тридцати дней от 55 до 75 г белкового порошка (который должен быть разведен) или предварительно подготовленной жидкости. Эти белки дают около 500 калорий (а иногда и меньше) в день.

Белки дополняются витаминами и минеральными веществами, а также большим количеством воды (по крайней мере два литра в день).

Белковое питание предотвращает истощение мышечной ткани, и, поскольку, оно не содержит углеводов, снижает уровень глюкозы в крови (гипогликемия) и выделение инсулина. Последний способствует созданию соединений ацетона, которые уменьшают аппетит в течение 48 часов и дают принимающему чувство легкой эйфории.

Организм принуждают производить глюкозу, используя запасы жира: новый сахар появляется в крови. Когда эти запасы жира расщепляются (это явление называется липолизом), объект теряет вес.

2. Каковы ее недостатки?

Научные исследования показали, что потеря белков, входящих в мышечную ткань, происходит в течение первых девятнадцати дней и что с двадцатого дня их уровень начинает стабилизироваться.

Приблизительно 25 % потери веса происходит в мышечной ткани, не содержащей жир. Однако, при ожирении количество нежировой ткани тоже увеличивается.

Потеря солей приводит к дополнительной потере воды,

и вес уменьшается. В этот момент может произойти опасное падение кровяного давления и нужно предпринять меры, чтобы его предотвратить. Понижение кровяного давления обусловлено недостатком крахмала, который ведет к потере натрия и воды.

Когда диета прекращается, поступление крахмала в организм должно происходить очень медленно. Крахмал, если он поглощается в больших количествах, из-за значительного удержания воды вызывает отеки.

К вторичным эффектам ОНКД относятся:
- увеличение содержания мочевых кислот от 10 до 20%,
- падение кровяного давления от 8 до 10 %,
- потеря волос до 9 %,
- запоры от 8 до 10 %,
- усталость 8 %,
- ломка ногтей 8 %,
- сухость кожи 8 %,
- непереносимость холода 8 %,
- судороги в мышцах 7 %,
- менструальные проблемы 6 %,
- депрессия 5 %,
- головные боли 3 %.

Повышение высокого уровня мочевых кислот продолжается в течение трех недель. Для ограничения риска (появления тромбов или появления нефрита, связанного с формированием камней в мочевом пузыре) очень важно употреблять как можно больше воды. Запоры являются нормальным явлением, поскольку нет поступления пищи в твердом виде. Они могут быть устранены посредством употребления салата, заправленного лимонным соком.

Наиболее драматическим осложнением, которое иногда встречается, является внезапная смерть.

Департамент продовольствия и лекарств США насчитал 17 случаев смерти, связанных с низкокалорийной диетой.

Это произошло с женщинами, которые не имели в прошлом проблем с сердцем, но чья смерть произошла от инфакта или необратимой остановки сердца. В тринадцати случаях употребляемые белки были очень плохого качества. В них было низкое содержание аминокислоты триптофана и не было необходимых добавок калия.

В четырех других случаях причины смерти не были определены. Однако, умершие находились на диете от четырех до шести месяцев, в то время как белковая диета должна быть применена не более четырех недель. Мы ужасаемся, когда узнаем, что эти "препараты" свободно продаются фармацевтами. Ведь они должны быть предписаны только пациентам, имеющим индекс массы тела BMI (см. Глава 1, Часть 2) более 30 и прошедшим полную проверку деятельности почек и сердечно-сосудистой системы. Нельзя возобновлять эту диету ранее чем через три месяца.

Из этого следует, что такие диеты должны проводиться в госпитале под контролем компетентной медицинской команды и под строгим наблюдением кардиологов. Люди, страдающие ожирением, под воздействием "заражения" мифическими результатами и рекламы подвергаются искушению продолжить лечение более двух месяцев.

Женщины, которые случайно последовали этому типу диеты в течение восьмидесяти дней, должны осознавать, что в первую неделю они провоцируют истощение мышц и потерю воды. Не происходит снижения жировой ткани и именно поэтому они не худеют!

Эти драконовские меры не гарантируют потери веса и, как показали исследования, выполненные Ван Голом, из четырехсот случаев:
— 38 % успеха были через 6 месяцев,
— 31 % после года,
— 14 % свыше двух лет.

Недавнее исследование, выполненное в Пенсильванском Университете США, показало, что только в 2 % случаев успех наблюдался в течение пяти лет.

Профессор Апфельбаум, который был вдохновенным сторонником белковой диеты в течение более 25 лет, имел смелость на Международной конференции по проблемам ожирения, состоявшейся в Анвере в 1993 году, признать ее бесполезность. В результате этой диеты "в течение последующих лет все пациенты приобрели потерянные килограммы".

Самым плохим является доступность этого лечения несмотря на опасность (когда оно проводится без медицинского контроля). Конечно, был создан доходный рынок для фармацевтических и химических компаний. То, что белковая диета может быть куплена непосредственно (или заказана по почте) по рецептам докторов (последние все еще получают проценты от проданного количества), еще раз доказывает, что любая прибыль — это хорошая прибыль.

В принципе, такой подход к похуданию страдает пороками. Он создает искусственно четыре недели "благополучного" периода в "питании" и обходит реальные проблемы. Пациент (обычно женщина) не обладает необходимым терпением к процессу похудания. Для изменения привычек питания пациент нуждается в поддержке и наблюдении.

Серьезный шаг, который может привести к значительной потере веса, связан с покупкой предметов питания на рынке, в магазине или супермаркете, но не у фармацевтов.

"Раздражающие" пищевые добавки

В наши дни витрины и полки фармацевтов завалены пакетами с порошками ванилина и шоколада, которые используются при завтраке или обеде и обещают сделать вас худыми. Вечером вам разрешается получить "нормальный" ужин.

Их химический состав различен и всегда несбалансирован. В некоторых из них не достает белков, а другие содержат слишком много сахарных углеводов. Далее мы поймем, почему их использование еще более нежелательно.

Процессы, которые приводят к утолению голода, можно классифицировать на жевательные и приводящие к чувству удовлетворения (полный желудок). Если вы пьете жидкость, то вы не жуете и не чувствуете, что вы ели достаточно, и это легко объяснимо, поскольку "она не сохраняется в теле человека". В результате через несколько часов вы голодны и еще больше хотите перекусить.

Если эти заменители принимаются утром и во время обеда (т.е. в то время, когда вероятность поправиться меньше), то у вас возникает желание поужинать плотно. Какая неудача! Это как раз то время, когда организм наиболее способен восстановить истраченные запасы, тем более что в течение дня вы псевдопитались. Таким образом вы снова возвращаетесь к теории калорий.

Заметим, что женщины, страдающие ожирением, и те из них, чей вес немного превышает норму, совершают большую психологическую ошибку, используя заменители еды. Эти заменители развивают подсознательное чувство отвращения к еде как к источнику всех бед.

Мы придерживаемся совершенно противоположного мнения. Женщины, страдающие ожирением, должны прежде всего прийти к осознанию, что нужно есть. Они должны не отклонять продукты питания, а научиться делать правильный выбор.

Чудодейственное лекарство

"Чудодейственная таблетка", которая сделает вас худой, это одно из наших мечтаний. Однако, для того чтобы быть допущенной к использованию, эта таблетка должна соответствовать ряду медицинских и моральных критериев:
— эффективность должна быть доказана надежными и повторяемыми экспериментами,
—ее использование не должно иметь нежелательных побочных эффектов,
— она должна быть нетоксичной в течение длительного периода.

Несомненно, что эта таблетка, которая кажется голубой мечтой, не появится в близком будущем, поскольку нигде нет на рынке продукта, близко сравнимого с идеалом!

Однако, мы должны знать лекарства, дающие надежду на похудание, которые были описаны в прошлом и которые, к сожалению, все еще доступны на рынке.

1. Мочегонные средства

Если похудание подразумевает потерю определенного количества жировой ткани, то очевидно, что мочеиспускание, которое вызывает потерю воды, принуждая организм обильно мочиться, не соответствует этой задаче.

Необходимо также отметить, что с водой из организма выводятся минеральные соли (натриевые, калиевые) и это приводит скорее к плохому чем к хорошему: сухости кожи, усталости, судорогам в мышцах и головокружениям. К этим явлениям может добавиться понижение кровяного давления, приводящее к обморокам. Когда лечение прекращается, организм, обладающий тенденцией реагировать подобно губке длительное время находящейся под давлением, набирает воду одновременно с солями значительно быстрее и приобретает в качестве "премии" риск получения отеков, от которых трудно избавиться.

Врачи не хотят честно признаться пациенту, что выписывают мочегонные лекарства (которые также бесполезны как и опасны), обычно прописываемые для лечения широко известных заболеваний. Поэтому врачи прячут истинное название лекарств, под химическими терминами, которые неизвестны их пациентам, или потихоньку включают их в псевдогомеопатические средства.

К этой же категории принадлежат лекарства растительного происхождения. Эти лекарства должны быть прописаны с осторожностью, поскольку они рекомендованы в качестве "очистки", и хотя являются естественными, но содержат растения, имеющие более или менее очевидное мочегонное действие. Среди них мы можем назвать медуницу, одуванчики, артишоки, рябину, черенки вишни. Их мочегонный эффект может быть небольшим и незначительно угрожающим потере калия, но все же они вызывают потерю воды.

Минеральные воды, представленные в качестве дополнительного средства, не играют никакой роли в процессе похудания, и являются неким украшением на рынке сбыта средств похудания. Конечно, необходимо употреблять достаточное количество жидкости, но, как мы уже отмечали, это может иметь небольшой мочегонный эффект. Даже если питье эффективно помогает избавиться от отходов белкового метаболизма (мочи, мочевой кислоты), это не всегда приводит к избавлению от жира!

2. Слабительные

Некоторые женщины с уверенностью полагают, что они могут похудеть просто освобождаясь от кала! Им следует знать, что они рискуют повредить прямую кишку, используя раздражающие слабительные, или создавая дефицит калия, поскольку развивающийся понос является результатом неразумного использования "очищающих" средств. Эти женщины проявляют "фобию" (страх "отравления") или тенденцию одержимости (постоянного беспокойства об очистке).

3. Экстракты щитовидной железы

Недостаточность щитовидной железы только случайно может явиться причиной полноты. Прописывать экстракты щитовидной железы пациенту, щитовидная железа которого работает нормально, не только бесполезно, но и опасно, поскольку это может привести к тяжелым осложнениям щитовидной железы. Необходимо запомнить, что эти медикаменты снижают мышечную ткань, а не жир, что увеличивает опасность нарушения сердечного ритма. Из-за вызванных ими вторичных эффектов, эти экстракты щитовидных желез часто оказывают плохое воздействие. Осложнения встречаются, когда они сочетаются с бессонницей, возбуждением, пульсацией, тахикардией, нерегулярным сердцебиением, дрожанием и нервозностью.

Однако, самым серьезным осложнением является внезапное падение кровяного давления при уже существующей стенокардии, которая могла остаться незамеченной при предыдущем обследовании. И снова эти лекарства-отравители спрятаны в комплексе соединений и замаскированы для использования под сложными химическими названиями или загадочными сокращениями. При растительной терапии часто прописывают различные водоросли или лишайники, которые действуют на щитовидную железу в качестве посредника на ее потребление иода.

4. Вещества, снижающие аппетит

Ими являются соединения амфетаминов, которые воздействуют на психику, приводят к состоянию возбуждения, и как следствие — к трудностям со сном и к снижению самоконтроля. Их отрицательное воздействие остается даже после прекращения их использования, и, зачастую, это приводит к нервным депрессиям, которые могут даже довести до самоубийства. Самым большим дефектом этих лекарств является их способность вызвать у пациента привыкаемость, которая может привести к наркомании.

Так легко стать настоящим потребителем опасного мусора!

Полный человек, который питается часто и понемногу, умерен в этом, но те, кто (в частности, женщины) страдают от нарушения питания (неуемный аппетит), принимая амфетамины, могут только усилить проблему.

5. Адифакс

Фармацевтические компании пытались создать таблетку, которая, сохраняя определенное положительное воздействие амфетамина, была бы менее опасна и не имела бы последующих побочных отрицательных эффектов.

В результате этих усилий появился дексофенафлуромин, который широко известен под именем Адифакс и при создании которого преодолен побочный эффект психического возбуждения. Согласно экспериментам, выполненным на животных, он не приводил бы к зависимости от него. Его действие связано с изменением обмена серотонина — вещества, которое связано с контролем аппетита и приводит к чувству удовлетворения голода. Его эффективность была продемонстрирована на пациентах, имеющих зависимость от полисахаридов, другими словами являющихся фанатиками употребления сахара. В действительности такая зависимость является причиной тучности в 15 % случаев.

Двойное, проведенное наугад исследование с контрольной группой, принимающей плацебо (плацебо - это нейтральное вещество, которое используется для проведения исследований в медицине), в течение года было проведено с восемьюстами тучными пациентами. Восемьдесят шесть процентов женщин имели вес, превышающий на сорок процентов средний вес в соответствии с теорией идеального веса. Это исследование показало, что лечение имело побочные эффекты.

Необходимо отметить, что эти пациенты следовали теории низкокалорийной диеты, т.е. менее 1450 калорий в день, и что они были под наблюдением и снабжались советами. Около сорока процентов из них были вынуждены прекратить лечение из-за отрицательных побочных эффектов: усталость, расстройство желудка, головная боль, проблемы со сном, понос, сухость во рту, возбуждение, депрессия, частое мочеиспускание, состояние обморочности, головокружение, чувство тошноты и рвота.

В течение одиннадцати месяцев разница в весе между группой, которая принимала дефленфлуромин и группой, принимавшей плацебо, составляла лишь около 2,7 кг в среднем.

Через два месяца после приостановки лечения (оно продолжалось в течение года) было замечено, что пациенты из группы, принимавшей плацебо, увеличивали вес на один кг в месяц, а те, кто принимали Адифакс приобретали ежемесячно два кг!

Доктора, которые проводили исследования, пришли к заключению, что лечение надо проводить в течение всей жизни (к великому удовольствию фармацевтической компании), чтобы поддерживать очень относительную эффективность. Все это привело нас к тому, что необходимо рассмотреть следующие вопросы:

— действительно ли необходимо и имеет смысл принимать две таблетки Адифакса в день в течение года, чтобы потерять на 2,7 кг больше, чем потеряли пациенты, принимавшие плацебо?

— не чрезмерна ли плата за лечение с таким небольшим эффектом, который не был подтвержден исследованиями Национального Института Здоровья США?

— каков был бы эффект лекарства, если бы его использование не сопровождалось низкокалорийной диетой?

— рисковали ли бы пациенты медленным приобретением веса после года проведенной терапии или ускорили его после приостановки лечения,

Необходимо отметить, как мы упоминали выше, что из 15 % пациентов, участвующих в эксперименте, около трети прекратили лечение, и только десять процентов людей, страдающих ожирением, достигли относительного эффекта от лечения со слабой надеждой в будущем потерять на три килограмма больше чем при классическом лечении. Зная, что стоимость лечения была "бездонной бочкой" и составляла около 110 долларов на один килограмм потери жира, справедливо задаться вопросом, а стоило ли этим заниматься? В любом случае, выигрыш довольно незначителен (по крайней мере для пациента!).

Нельзя нарушать привычный режим питания, прописывая специальные лекарства без необходимой психологической подготовки. Врачи обязаны сопротивляться настойчивым желаниям пациенток, особенно в период купального сезона и отдыха (кто не мечтает выглядеть стройной в купальнике). Рецепты не должны быть выписаны в спешке. Особенно осторожно надо относиться к лекарствам (токсичным или обладающих побочным воздействием), которые приносят своим пациентам серьезные медицинские осложнения и как результат — прибавление веса. В противоположность задуманной цели, постоянное возобновление этой неустойчивой терапии ведет к сопротивлению похуданию, и постоянному прибавлению веса.

Снова и снова напоминаем, что любая стратегия похудания должна быть задумана только на долгосрочный период, и нельзя идти на поводу у повседневных прихотей питания. Решение похудеть должно созреть как ваш собственный выбор на длительную перспективу. Все "мгновенные" решения приведут к разочарованию...

Второй взгляд на добавки к еде

Если вы находитесь в процессе принятия решения, то понаблюдайте за многими продуктами для похудания, которые продаются под обманчивыми благозвучными названиями.

1. L-карнитин

L-карнитин-это фермент, который находится в организме.

Он синтезируется в печени и почках из двух аминокислот: L- лизин и L-метеонин с помощью железа и витаминов C и B_6.

Сегодня, нехватка L-карнитина встречается достаточно редко, поскольку мы получаем эти ферменты из продуктов, которые употребляем регулярно: мясо, цыплята, кролик, коровье молоко и яйца.

Незначительная часть вегетарианцев, в основном, женщин, которые употребляют мало железа при диете, возможно не синтезируют достаточно L-карнитина. Имеется чрезвычайно редкая врожденная нехватка L- карнитина и люди, которые страдают этим, могут иметь проблемы с мышцами, но не с ожирением!

L-карнитин неправильно разрекламирован как вещество. которое помогает "сжечь жир". Конечно необходимо использовать свободные жирные кислоты в крови, но только в качестве "энергетического топлива", а не сжигая запасы жира, которые содержатся в триглицеридах.

Только когда активизируются другие ферменты, триглицеринолипазы (когда уровень инсулина низкий) могут помочь расщепить запасы жира и свободных жирных кислот в потоке крови.

Во Франции запрещена продажа многих продуктов, содержащих L- карнитин. Людям свойственна плохая память. Нет сомнения, что другой чудодейственный продукт скоро займет его место.

2. Растения

Растительная терапия (фитотерапия), может быть названа спасительным средством: поедающие жир растения, мочегонный чай, кусочки лишайника, любая морковь для тех кто хочет похудеть без усилий и кто будет есть все, чтобы достичь этого! Рассмотрим, например, ананас. Кто не слышал, по крайней мере, однажды в жизни, что ананас расплавляет жир? Широко известен бромелин или бромелаин, который найден в стволе ананаса, а не в самом фрукте. Бромелин ни в коей мере не заслужил репутации как "сжигатель жира" при похудании. И он не оказывает влияние на метаболизм инсулина, как предполагали ранее.

Что касается нелущенных бобов, то они немного вышли из моды, поскольку вызывали у ряда пациентов в США закупорку кишечника.

Другие растения, которые казались безобидными, также оказались токсичными и исчезли с рынка.

Это же самое произошло с некоторыми китайскими растениями для похудания (чем более экзотичны, тем более они нравились людям), которые явились причиной серьезных токсических гепатитов.

Только одно вещество, которое действительно полезно, это растворяющаяся клетчатка, такая как глюкомин. Но она не оказывает воздействия в малых дозах.

При употреблении 4 граммов в день она может снизить жажду. Если ее принимать с большим стаканом воды за полчаса или час до еды, то она может наполнить желудок, принести чувство насыщения и снизить количество выделяемого инсулина. Но клетчатка также имеет тенденцию создавать некомфортабельную бурю в желудке.

Однако действие этих веществ или таблеток неизбежно приведет человека, страдающего ожирением, к мысли, что достижение реальной цели возможно при длительной модификации привычек питания. Только тогда, когда происходит полная перестройка сознания, вес может быть стабилизирован на длительный период времени.

Глава III

ПИТАТЕЛЬНЫЙ СОСТАВ ПРОДУКТОВ

Как стало совершенно ясно из предыдущих глав, не энергия, содержащаяся в еде, ответственна за последующее приобретение веса. В дальнейшем мы увидим, в чем состоит разница между составом продуктов питания и содержанием в них углеводов, липидов (жирных кислот) и белков, клетчатки, витаминов, минеральных солей и микроэлементов.

Мы увидим, что ожирение не происходит от переедания, а из-за привычки к плохому питанию и из- за неправильного выбора пищи.

Еще раз подчеркнем, что потеря и достижение идеального веса не связаны с лишением себя еды. Вы поймете, что достаточно есть более гармонично, избегая плохой пищи и употребляя вместо нее более полезную.

Но прежде чем сделать правильный выбор, вы должны ясно представить разницу в различных продуктах питания, которые доступны, и понять свойства каждого из них.

Эта глава, несмотря на ее техническое содержание, будет легко понятна даже тем читательницам, которые не имеют серьезного научного образования.

Независимо от "второй скрипки" в вашей жизни или хобби (быть может это садоводство, спорт и т.д.), а также вашей профессиональной деятельности (работа в офисе, университете и т.д.) очень важно усвоить "основные принципы". Только зная их, вы можете достигнуть серьезных результатов.

Некоторые сведения, которые будут даны в этой главе, покажутся вам знакомыми, но, пожалуйста, прочитайте их тщательно. Ведь так много ошибочного было сказано в области питания, что лучше всего быть внимательным.

Прежде всего нужно знать, что все продукты состоят из питательных элементов, или, как говорят, веществ, которые могут поглощаться организмом и предназначены поддерживать его жизнь.

Эти питательные вещества могут быть сгруппированы в две категории:

Питательные вещества, обеспечивающие энергию

Их роль не только в том, чтобы обеспечивать энергию, но и служить сырьем для многих процессов синтеза, которые происходят при создании и перестройке живущего вещества. К ним принадлежат:

— белки,
— углеводы,
— липиды или жиры.

Питательные вещества не обеспечивающие энергию

— клетчатка,
— вода,
— минеральные соли,
— микроэлементы,
— витамины.

Питательные вещества — источник энергии для организма

1. Белки

Белки — это органические вещества животного или растительного происхождения, которые обеспечивают поддержку клеточной структуры человеческого организма. Их основным элементом являются многочисленные аминокислоты.

В то время как одни аминокислоты вырабатываются самим организмом, другие поступают только из пищи. Организм человека получает белки из продуктов 2-х видов:

1. Из мяса животных — они содержатся в говядине, по-

трохах и в свиных продуктах (ветчине, колбасе, т.д.), рыбе, моллюсках (лобстере, креветках), яйцах, молочных продуктах, включая сыр;

2. Из овощей — содержатся в сое, морских водорослях, миндале, фундуке, шоколаде, а также в злаковых и бобовых.

Достаточное количество белков в организме необходимо для:

— образования структуры клетки;

— производства некоторых гормонов, например, тироксина и адреналина;

— поддержания мышечной системы;

— вырабатывания желчной кислоты и дыхательных ферментов.

Ни один продукт, не считая яиц, не состоит из столь хорошо сбалансированного сочетания аминокислот. Отсутствие необходимой аминокислоты может являться "лимитирующим фактором", т.е. затруднять процесс усвоения других. Поэтому настоятельно рекомендуется употреблять пищу как животного, так и растительного происхождения.

	Продукты	Белки животн.	Белки растит.
Завтрак	150 г молока 60 г хлеба грубого помола с отрубями	5	5
Обед	150 г рыбы 150 г макаронных изделий из муки грубого помола 50 г йогурта	25	5
Ужин	200 г чечевицы 30 г сыра 60 г хлеба грубого помола с отрубями	3	18 5
Всего		33 г	33 г

Меню, состоящее только из овощей, неизбежно приведет к дисбалансу в организме, хотя вегетарианская диета, включающая яйца и молочные продукты полностью приемлема (см.Главу IV, Часть II). Если поступление белков в организм происходит только из мясных продуктов, то в организме образуется недостаток аминокислот насыщенных серой, что препятствует усвоению остальных аминокислот.

Дневной рацион человека должен быть сбалансирован. Взрослый человек должен съедать мяса из расчета 1 гр на каждый килограмм своего веса, т.е. минимум 60 г — женщины и 70 г — мужчины.

Люди, занимающиеся профессиональным спортом, а также увлекающиеся накачиванием мышц поглощают много воды, и могут повысить норму белков до 1,5 г из расчета на 1 кг веса.

Практически человек весом 66 кг должен в день съедать по 33 г животных и растительных белков, что видно из выше приведенной таблицы. Эти белки должны составлять 15% от дневного рациона человека.

Приведенная ниже таблица поможет Вам правильно сориентироваться в выборе продуктов.

Продукты питания, не содержащие белки, могут привести к серьезным нежелательным последствиям: истощению мышц, плохой заживляемости ран, опущению матки и т.д.

Однако, если ваша пища содержит слишком большое количество белков, то может развиться подагра. Ее появление связано с превращением излишком белков в мочевую кислоту. Для предупреждения этого явления рекомендуется употреблять больше жидкости.

Следует отметить, что белки необходимы для сохранения хорошего здоровья. Употребление их даже в большом количестве не приносит неприятностей, если у вас здоровые почки. Обычно белки, содержащиеся в пище, употребляются вместе с жирами (липидами) и часто с насыщенными жирами, к которым следует относится с большой осторожностью.

Продукты, содержащие белки		
	Животные белки	**Растительные белки**
Среднее содержание белка	Говядина Телятина Баранина Свинина Птица Продукты из свинины Рыба Выдержанные сыры	Соя Пророщенные зерна пшеницы Морские водоросли Жареный арахис Чечевица Белая фасоль Миндаль
Высокое содержание белка	Яйца Молоко Мягкие сыры	Овсяные хлопья Хлеб с отрубями Шоколад с 70% содержанием какао Рожь Макаронные изделия из муки грубого помола Коричневый рис Грецкие орехи

2. Углеводы (глюциды)

Им следовало бы дать название "углеводороды", так как они состоят из углерода, водорода и кислорода. Термин "глюцид" произошел от греческого "glukus", что означает "сладкий" и его более распространенное название "сахар".

а) Классификация углеводов согласно их молекулярному строению (химической формуле)

Углеводы, состоящие только из 1 молекулы (моносахариды):

— глюкоза, обнаруженная в меде и в отдельных фруктах;

— фруктоза, содержащаяся, в основном, в фруктах;

— галактоза, содержащаяся в молоке.

Углеводы, состоящие из 2-х молекул (дисахариды):

— сахароза, являющаяся ничем иным как сахаром (сахарный песок или кусковой сахар), полученным из свеклы или сахарного тростника (глюкоза + фруктоза);

— лактоза (глюкоза + галактоза), которая содержится в молоке млекопитающих;

— мальтоза или солодовый сахар (глюкоза + глюкоза), полученная из солода, обычно содержащегося в пиве или кукурузе.

Углеводы, состоящие из более чем 2-х молекул (полисахариды):

— гликоген, найденный в печени животных;

— крахмал, состоящий их большого числа молекул глюкозы, содержащийся в следующих продуктах:

в злаковых — пшенице, кукурузе, рисе, в зернах овса, ржи, ячмене;

в корнеплодах — картофеле и его разновидностях;

в бобовых — турецком горохе, сухой фасоле, чечевице, сое.

Некоторые авторы включают в данную классификацию клетчатку, гемицеллюлозу, фруктовый пектин и смолы. В действительности, эти углеводы не усваиваются в процессе пищеварения и поэтому не являются энергоносителями (не превращаются в энергию). Их целесообразно было бы рассматривать как клетчатку.

В течение длительного времени углеводы изучали только с точки зрения данной классификации (т.е. основанной на молекулярной структуре), и разделяли на 2 категории — **"простой сахар" и "сложный сахар"**

— **простой сахар** (с 1 или 2 молекулами углеводов), на усвоение которого требовалось немного времени и он быстро всасывался тонким кишечником, назывался "быстрым сахаром";

— **сложный сахар**, полученный из крахмала. На процесс его расщепления затрачивалось длительное время из-за сложности молекулярной структуры, и поэтому его называли "медленным сахаром".

Подобная классификация углеводов по сути дела была ошибочной и на сегодняшний день устарела.

Сахар "Медленного" и "Быстрого усвоения" — ошибочная кассификация

Многие диетологи и специалисты по проблемам питания продолжают и сегодня проповедовать устаревшую концепцию "медленного" и "быстрого" сахара.

Профессор Слама, специалист по диабету никогда не упускает возможности напомнить нам, что углеводы могут быть классифицированы только в соответствии с их значимостью для гликемии.

Опыт показывает, что на усвоение любого вида углеводов затрачивается от 20 до 30 минут после принятия пищи.

Эта ошибочная классификация углеводов, к сожалению, часто служит отправной точкой в понимании проблем диетологии и берется за непреложную истину. К сожалению, это касается вопросов, связанных с питанием спортсменов.

б) Для чего нужно знать уровень глюкозы в крови (гликемия)?

Глюкозу можно рассматривать как "топливо" для тела человека, которое поступает из 2-х источников. Первым является сам организм, который вырабатывает глюкозу из запасов жира в нем, вторым — результат процесса обмена веществ. В обоих случаях глюкоза проходит через кровь. Поэтому-то гликемия может показать уровень содержания глюкозы в крови.

Уровень гликемии перед принятием пищи обычно составляет 1 г на 1 л крови. Это один из биологических параметров, который выявляется врачом при получении результатов анализа крови. При потреблении углеводов натощак можно сравнить колебания уровней содержания глюкозы в крови.

После принятия пищи натощак на первой стадии гликемия повышается. Это происходит до тех пор пока она не достигнет максимального уровня, который называется "пик гликемии" (см. рис. 2, 3).

Содержание глюкозы в крови

Рис. 2

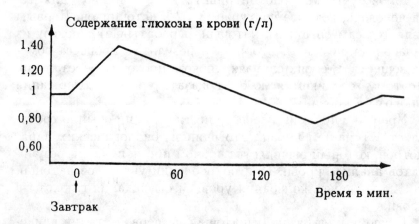

Рис. 3

Поджелудочная железа играет важную роль в процессе обмена веществ. Она вырабатывает гормон инсулина, под действием которого глюкоза удаляется из крови и поступает в клетки, нуждающиеся в ней. Это и есть вторая стадия, в процессе которой под действием инсулина падает уровень содержания глюкозы в крови. В период третьей стадии уровень гликемии возвращается к нормальному.

в) Гликемический индекс

Изучение углеводов гораздо лучше проводить на основе анализа низкого и высокого уровней гликемии, чем по скорости усвояемости углеводов. Основным предметом нашего внимания является "пик гликемии" при каждом приеме с пищей углеводов, т.е. их способность вызвать гипергликемию. Эта способность была названа проф. Крапо из США гликемическим индексом. Графически этот индекс можно изобразить в виде треугольника, образующегося при преломлении кривой в процессе гипергликемии. Если произвольно индекс глюкозы принять за 100, то тогда индекс других углеводов можно подсчитать по следующей пропорции:

$$\frac{\text{площадь треугольника исследуемого углевода}}{\text{площадь треугольника глюкозы}} \times 100$$

Гликемический индекс будет тем выше, чем выше гипергликемия, происшедшая под действием углеводов. К настоящему моменту многие ученые тем не менее пришли к выводу, что классификацию углеводов можно сделать только учитывая их способность вызывать гипергликемию, что определяется концепцией о гликемическом индексе (см. рис. 4, 5).

Термин гликемический индекс в нашей книге является основополагающим. Пользуясь этим термином можно объяснить не только полноту и ожирение, но и такие явления, как усталость и утомляемость, которые являются предметом постоянного беспокойства наших современников и, особенно, современниц.

В связи с этим, для упрощения идеи, я предлагаю классифицировать углеводы по 2-м категориям: "хорошие углеводы" (те, у которых гликемический индекс низкий) и "плохие углеводы" (гликемический индекс высокий).

Рис. 4. Высокий гликемический
индекс

Рис. 5. Низкий гликемический
индекс

г) "Плохие углеводы"

К ним относятся все углеводы, которые вызывают резкое повышение глюкозы в крови и, соответственно, провоцируют гипергликемию. В основном, эти углеводы имеют индекс более 50. К ним относятся: белый сахар во всех формах — чистый или в сочетании с другими продуктами (напитки, десерты, конфеты и др.) и, кроме того, все промышленно рафинированные углеводы — хлеб, тесто из муки высшего сорта, рис. Картофель и кукуруза также относятся к данной категории углеводов. При их промышленной и домашней обработке гликемический индекс повышается. Имеются в виду крахмалы, картофельные хлопья, картофельное пюре, жареный картофель с тертым сыром.

60

Таблица гликемических индексов различных продуктов

Углеводы с высоким гликемическим индексом (плохие углеводы)		Углеводы с низким гликемическим индексом (хорошие углеводы)	
Жареный картофель	95	Хлеб с отрубями	50
Чисто белый хлеб	95	Необработанные зерна	
Картофельное пюре	90	риса	50
Мед	90	Горох	50
Морковь	85	Необработанные злаковые	
Кукурузные хлопья	85	без сахара	50
Сахар	75	Овсяные хлопья	40
Белый хлеб	75	Гречневая каша	40
Очищенные злаковые		Ржаной хлеб с отрубями	40
с сахаром (мюсли)	70	Свежий фруктовый сок	
Шоколад	70	без сахара	40
Вареный картофель	70	Макароны из муки грубого	
Бисквиты	70	помола	40
Кукуруза (маис)	70	Красная фасоль	40
Белый рис	70	Сухой горох	35
Черный хлеб	65	Хлеб с отрубями 100%	
Свекла	65	обмолоченный	35
Бананы	60	Молочные продукты	35
Джем	55	Чечевица	30
Сухая фасоль	30	Макароны из непросеянной	
Тесто из муки без отрубей	55	муки грубого помола	30
		Турецкий горох	30
		Свежие фрукты	30
		Консервированные фрукты	
		(без сахара)	25
		Горький шоколад (с более 60%	
		содержанием какао)	22
		Фруктоза	20
		Соя	15
		Зеленые овощи, помидоры,	
		лимон, грибы менее	15

д) "Хорошие углеводы"

К ним относятся углеводы, употребление которых незначительно увеличивает содержание глюкозы в организме. Они вызывают незначительную гипогликемию. К хорошим углеводам относятся сырые злаковые, дикий рис, многие крахмалы и крупы — чечевица, горох, фасоль.

Все фрукты и зеленые овощи — капуста, салат, лук- порей, зеленая фасоль и т.д. можно отнести к "хорошим углеводам". Кроме того в них содержится большое количество клетчатки.

е) Гипергликемия и инсулин

Мы уже знаем, что когда усвоение углеводов находится в наивысшей точке (пик гликемии), поджелудочная железа начинает вырабатывать инсулин, необходимый для регулирования глюкозы в крови. Количество вырабатываемого инсулина находится в непосредственной связи с уровнем гликемии.

К этому вопросу мы вернемся позже, так как он является фундаментальным для понимания большинства явлений обмена веществ и связанных с ними проблемами увеличения веса.

3. Липиды (или жиры)

Жиры являются объектом неистового психоза в современном обществе. В Соединенных Штатах отношение к ним похоже на паранойю. В течение столетия их любили употреблять и всегда искали в продуктах питания. Сегодня отношение к ним пересмотрено и они чаще всего исключены из диеты. В действительности традиционные диеты ответственны за ожирение, поскольку они содержат много калорий. Было показано, что склонность к холестерину связана с заболеваниями сердечно-сосудистой системы. В настоящее время есть мнение, что жиры играли важную роль в развитии некоторых видов раковых заболеваний.

Мы вернемся к обсуждению роли жиров в последующей главе, посвященной гиперхолестеринимии. Напоминаю, что эта глава является технической и поэтому мы подробно обсудим этот вопрос. Липиды, или резервные жиры, представляют собой сложные молекулы, которые обычно называют жирными телами. Их принято классифицировать в соответствии с происхождением:

— *липиды животного происхождения:* к ним принадлежат жиры, содержащиеся в мясе, рыбе, масле, молочных продуктах и сыре, яйцах и т.д.

— *липиды растительного происхождения:* они содержатся в маслах (оливковом, подсолнечном и т.д.) и маргарине.

Однако, следовало бы их классифицировать по их химической формуле. Тогда жиры можно подразделить на два вида:

— **насыщенные жирные кислоты,** найденные в мясе, продуктах свинины, яйцах, молочных продуктах (молоко, масло, сливки, сыры), пальмовом масле и т.д.;

— **моно-ненасыщенные и поли-ненасыщенные жирные кислоты,** которые представляют из себя жиры, остающиеся жидкими при комнатной температуре (подсолнечное масло, оливковое масло, рапсовое масло и т.д.). Некоторые из них могут затвердевать при гидрогенизации (например, производство маргарина);

— **ненасыщенные жиры**, содержащиеся в рыбе, утке и гусе.

Потребление липидов, содержащихся в продуктах питания, является чрезвычайно важным поскольку:

— они снабжают организм энергией, накапливаемой в виде запасов жира и доступной при необходимости для снабжения тела глюкозой;

— они служат основой для формирования мембран и клеток;

— они входят в состав ткани и, в частности, нервной системы;

— они помогают производить гормоны и простагландины;

— они формируют основу производства солей желчи;

— они содержат витамины растворимые в жирах, А, Д, Е, и К;

— они единственные источники того, что мы называем "необходимыми" жирными кислотами: линолевая и альфа-линоленовая кислоты;

— некоторые жирные кислоты способствуют предотвращению сердечно-сосудистых заболеваний.

а. Липиды и ожирение

Жиры — самые большие поставщики энергии, вот почему они главные враги в теории низкокалорийных диет.

Далее вы узнаете, что следует обвинять не количество энергии, а плохие привычки питания. Именно они нарушают обмен веществ и ведут к образованию запасов жира. Повышенное содержание сахара в крови, возникшее из-за избытка инсулина, приводит к накоплению жировых излишков из липидов (липогенезис).

б. Липиды и холестерин

Взаимосвязь между излишним потреблением жиров и уровнем холестерина в крови (который является ответственным за сердечно-сосудистые заболевания) фактически показана. Целесообразно подразделять холестерин на два типа: "хороший" и "плохой". В идеале следовало бы поддерживать общий уровень холестерина ниже или равным 2 граммам на литр и с как можно более высоким содержанием "хорошего" холестерина.

Помните, что не все жиры повышают плохой холестерин. Напротив, некоторые даже имеют тенденцию значительно снижать их. Этот вопрос мы рассмотрим более подробно в главе, посвященной повышенному содержанию холестерина в крови и опасности сердечно-сосудистых заболеваний.

С этой точки зрения следует классифицировать жиры на три новые категории.

Жиры, которые повышают холестерин

Это — насыщенные жирные кислоты, которые преимущественно содержатся в мясе, продуктах свинины, молоке и всех молочных продуктах, масле и некоторых сырах.

Излишнее потребление насыщенных жиров может привести к повышению уровня холестерина в крови и предрасположенности к сердечно-сосудистым заболеваниям. Многие исследователи склонны считать, что чрезмерное снисходительное отношение к насыщенным жирам приводит к опасности возникновения некоторых раковых образований.

Жиры, которые слабо влияют на холестерин

Это те, которые находятся в домашней птице, ракообразных и яйцах.

Жиры, которые понижают холестерин и предотвращают артериальные проблемы

Это ненасыщенные жирные кислоты, которые преимущественно найдены в маслах (кроме пальмового масла), масляных семенах и рыбе, а также в гусином и утином жире (паштет из утиной печенки, и т.д.). Среди этих кислот нужно упомянуть следующие:

— Мононенасыщенные жирные кислоты, в особенности, олеиновая кислота из оливкового масла, которые обладают свойством снижения общего холестерина и увеличения "хорошего" холестерина. Их преимущество в химической устойчивости.

— Полиненасыщенные жирные кислоты, обнаруженные в подсолнечном масле, кукурузном и рапсовом маслах, понижают общий холестерин. Их много в необходимых жирных кислотах. Недостатком этих кислот является их легкая окисляемость. Эти полиненасыщенные жирные кислоты при окислении становятся такими же плохими для артерий как насыщенные жирные кислоты. Химические изменения, которым подвергаются некоторые растительные жиры, когда они затвердевают (становятся маргарином), похоже изменяют их свойства.

в. Необходимые жирные кислоты

Линолевая кислота и альфа- линоленовая (которые обычно группируют вместе под названием витамина F) заслуживает здесь особого внимания, поскольку их присутствие незаменимо для жизнедеятельности организма.

В последние несколько лет было показано, что эти жирные кислоты играют важнейшую роль в формировании мембран клеток головного мозга и в развитии нервной системы. Недостаток этих кислот приводит к нарушению функции головного мозга. Наиболее подвержены этой опасности молодые люди.

Итак напомним, что отсутствие необходимых жирных кислот может быть важным фактором в развитии наиболее серьезных заболеваний обмена веществ, поражающих население индустриального общества. Именно их отсутствие связывают с распространением заболеваний системы иммунной защиты.

Плохие привычки в питании и сомнительная природа продуктов, которые имеются в нашем распоряжении, особенно если они очищены, возможно являются причиной этой недостаточности. Линолевая кислота, которая найдена в подсолнечном, кукурузном маслах и масле из виноградных косточек снижает риск сердечно- сосудистых заболеваний.

Недостаток линолевой кислоты может привести к замедлению роста и к изменениям в клетках кожи, слизистой железы, желез внутренней секреции и половых органов. Рекомендуемая суточная доза — 10 граммов. Она может быть получена при употреблении 20 граммов подсолнечного, кукурузного или соевого масла.

Альфа-линоленовая кислота,найденная в больших количествах в маслах из рапсовых семян, маслах из грецкого ореха и зерен пшеницы особенно важна для биохимии нервной системы. Недостаточность этой кислоты может привести к снижению способности к обучению, отклонениям в передаче нервных сигналов, увеличению опасности возникновения тромбоза, а также к снижению сопротивления алкоголю. Ее ежедневно рекомендуемая доза — 2 грамма. Это доза может быть получена при ежедневном употреблении 25 граммов рапсового масла.

Никакое масло в отдельности не может дать правильного баланса олеиновой, линолевой и альфа- линоленовой кислот.

Поэтому, вам следует смешивать два или три следующих различных масла как приправу к салату: оливковое масло, подсолнечное масло, рапсовое масло.

г. Ежедневное потребление липидов (жиров)

Ежедневное потребление жиров во всех их формах не должно составлять более 30% потребления пищевых продуктов. Во Франции в настоящее время оно составляет 45% (две трети которых состоят из насыщенных жиров).

Идеальным считается суточное потребление 25% насыщенных жиров (мясо, продукты свинины, масло, все молочные продукты), 50% мононенасыщенных жирных кислот (гусиный жир, оливковое масло) и 25% полиненасыщенных жирных кислот (рыба, подсолнечное масло, рапсовое масло, кукурузное масло и т.д.). Позднее мы обсудим эту проблему более подробно.

Питательные вещества, не снабжающие энергией

Питательные вещества, которые не обеспечивают энергией, играют важную роль в жизнедеятельности организма.

К сожалению, многие в нашем обществе стали пренебрегать ими.

1. Клетчатка

Наши предшественники употребляли клетчатку, не осознавая этого. Как ни странно, мы только недавно ее обнаружили. Обнаружили именно тогда, когда поняли, что не ели ее в достаточном количестве.

Пищевая клетчатка, которая фактически найдена главным образом в углеводах с низким и с очень низким индексом содержания сахара, является веществом растительного происхождения. Клетчатка, обычно объединяется с другими питательными веществами. Клетчаткой называют "растительные остатки, которые противодействуют воздействию ферментов в тонком кишечнике, но частично превращаются в жидкость бактериальной флорой толстой кишки".

Клетчатка имеет растительное происхождение и ее химическая структура образована из сложных углеводов. Их иногда называют "неусвояемые углеводы". На некоторых продуктовых упаковках они включены в общее число углеводов. Неправильно включать их под этой рубрикой, так как они не перевариваются и не увеличивают содержание сахара.

а. Различные типы клетчатки

Клетчатка бывает двух видов, каждый из которых обладает специфическими свойствами:

— *Нерастворимая клетчатка*

Ее называют целлюлозой и большинство из них — целлюлоза и лигнин. Они найдены в фруктах, овощах, зерновых и бобовых растениях.

— *Растворимая клетчатка*

Это пектин (из фруктов), смола (из бобовых), альгиназа из разных морских водорослей (асгар, гуар, карраген) и гелицеллюлоза из ячменя и овса.

б. Воздействие клетчатки

Нерастворимая клетчатка, когда она набухает в воде, подобно губке, ускоряет опорожнение желудка, а также повышает уровень и содержание влаги в кале, что помогает их выведению.

Клетчатка обладает способностью превосходного предотвращения запоров (если она сопровождается большим употреблением жидкости). Она также приводит к снижению уровня холестерина в крови и предупреждает появление камней в желчном пузыре. Употребление клетчатки предотвращает возникновение рака толстой и прямой кишки, от которого во Франции до сих пор ежегодно умирает 25 000 человек!

Ранее предполагали, что фитиновая кислота, содержащаяся в злаковых, мешает абсорбировать кальций. Говорили даже, что "весь хлеб за обедом ведет к декальцификации". Современная наука показала, если хлеб сделан с дрожжами и соблюдены традиционные методы изготовления (никакого ускорения процесса квашения), то это явление не наблюдается.

Клетчатка не мешает поглощению витаминов или микроэлементов. Продукты богатые клетчаткой (фрукты, бобовые, овощи) содержат много полезных питательных микровеществ, которые необходимы для правильного функционирования организма.

Растворимая клетчатка, поглощая большое количество воды, превращается в толстое "желе". Из-за большого объема она полностью заполняет желудок, что дает вам чувство насыщения, прежде чем вы много съедите. Таким образом, не поглощая калории, чувство голода исчезает быстрее.

Клетчатка замедляет поглощение углеводов и жиров. Поэтому, когда продукты, богатые растворимой клетчаткой съедены, повышение содержания сахара меньше, чем это было бы с идентичным количеством углеводов. Секреция инсулина, таким образом, ниже и так как этот гормон (инсулин) способствует отложению жира, набирается меньший вес. Помните, что достаточная порция растворимой клетчатки поможет похудеть, если вам нужно сбросить вес.

Клетчатка помогает улучшить диабетический баланс, снижая уровень содержания сахара. Диабетикам следовало бы выбирать углеводы, которые богаты растворимой клетчаткой (и особенно фрукты, стручки бобов, фасоли, чечевицу), и имеют более низкий индекс содержания сахара.

Поскольку клетчатка понижает уровень холестерина в крови, она способствует предотвращению сердечно- сосудистых заболеваний.

Ее воздействие усиливается, когда пища, богатая клетчаткой (овощи, свежие фрукты и масляные семена), содержит антиокислители (витамин C и E, бета-каротин). Эти антиокислители также защищают стенки артерий.

Подобное положительное воздействие на жиры в крови

также применимо к триглицериду. Мы можем только сожалеть, что во всех промышленных странах и, прежде всего, в Соединенных Штатах, потребление клетчатки снизилось чрезмерно.

Во Франции в настоящее время потребляется только 17 граммов клетчатки в день на жителя, в то время как суточная доза должна составлять 40 граммов. Это значит, что ежедневно организм не дополучает как минимум 30 граммов.

Американцы потребляют менее 10 граммов и последствия этого очевидны. Нигде вы не найдете такого количества людей с ожирением как в Америке.

2. Вода

Жидкость составляет от 45 до 60% веса здорового взрослого человека.

Люди могут обходиться в течение недель без еды, но лишь несколько дней без воды. Они могут терять свои гликогены и жиры и половину своих белков, не подвергая себя реальной опасности. Однако, потеря 10 % жидкости может вызывать значительную утомляемость.

Каждый знает, что вода, выходящая с мочой, а также выделяемая при дыхании, потоотделении и в фекалиях, должна быть возмещена. Количество потерь при этих отправлениях составляет около двух с половиной литров в день.

Она возмещается из:
— напитков: 1,5 литра в день (вода, обезжиренное молоко, фруктовые соки, чай, суп и т.д.);
— вода, содержащаяся в твердых продуктах (хлеб, например, содержит 35% воды);
— вода, получаемая при обмене веществ, то есть вода, произведенная при различных химических процессах в организме.

Если вы пьете достаточно, моча должна быть светлой. Если она слишком желтая — это признак того, что потребляемое количество жидкости весьма недостаточно.

3. Минеральные соли и микроэлементы

Минеральные соли — это необходимые вещества для жизни человека. Они активно участвуют в различных функциях обмена веществ и в электрохимических процессах нервной системы и мышечной ткани, а также при формировании таких структур, как скелет и зубы. Некоторые минералы играют также роль катализатора во многих биохимических реакциях организма.

Минералы могут быть подразделены на две группы:
— те, которые необходимы организму в относительно больших количествах — это макроэлементы;
— те, которые находятся в исчезающих малых количествах — это микроэлементы.

Эти вещества действуют как катализаторы при биохимических реакциях организма. Они активизируют работу ферментов и без них химические реакции не могут проходить. Поэтому микроэлементы необходимы, даже если действуют в бесконечно малых количествах.

Некоторые микроэлементы были известны давно. Один из примеров железо. Его воздействие на здоровье было замечено с античных времен, хотя не было известно, как это происходит.

Но большинство из них было обнаружено недавно в процессе исследования того, что часто называют "социальными болезнями", например, недостаток жизненной энергии или, точнее, усталость.

Микроэлементы — это металлы и металлоиды, представленные в организме в очень небольших количествах.

Не полностью выяснено влияние состава и количества микроэлементов на качество продуктов и жизнедеятельность организма.

Сельскохозяйственные угодья теряют микроэлементы. Это происходит из-за интенсивной промышленной эксплуатации с использованием огромных количеств химических удобрений и фосфатов и из-за того, что нет адекватной замены натуральным удобрениям животного происхождения. Это, в частности, связано с дефицитом марганца.

Минеральные соли	Микроэлементы
Натрий	Железо
Калий	Йод
Кальций	Цинк
Фосфор	Медь
Магний	Марганец
	Фтор
	Хром
	Селен
	Кобальт
	Молибден

Овощи, которые вырастают на этой обедневшей земле сами бедны микроэлементами. Изменения произошли и в животном мире. Добавьте цинк в корм коровы и она снова сможет иметь телят. Без цинка воспроизведение не происходит. Нехватка микроэлементов в нашем продовольствии отражается и на нас. Многие специалисты полагают, что в этом причина многих патологий, возникших в конце XX столетия.

Имеется два варианта решения этой проблемы. Первый — это возвращение назад, что успешно проповедует экологически чистое сельское хозяйство. Другой вариант — ввести добавки в продукты. Этот путь можно рассматривать как переходный перед возвратом к такому сельскому хозяйству, которое будет ближе к нашим естественным потребностям.

4. Витамины

В течение столетий появление болезней, связанных с плохим питанием было замечено в экстремальных условиях (осада города, голод, морские путешествия). Следствием этого было кровоточение десен, вызванное цингой, болезни костей из-за рахита, паралича и отеки из-за авитаминоза и ран на коже из-за пеллагры. Длительное время, за исключением исторических случаев, упомянутых выше, существование этих необходимых питательных веществ было неизвестно. Очевидно, что в те времена, продукты питания содержали витамины в достаточном количестве и заметных дефицитов не встречалось. Только с конца XIX столетия несбалансированность связали с отсутствием в продуктах незаменимых веществ, называемых витаминами.

Изменения в привычках питания за несколько последних десятилетий, общее потребление очищенных продуктов (рафинированный сахар, мука тонкого помола, очищенный рис), развитие интенсивного сельского хозяйства с его последствиями и последующая промышленная обработка привели к выявлению резкого дефицита витаминов.

Витамины могут быть определены как органические компоненты малой величины, необходимые для сохранения жизни, стимуляции роста и воспроизводства человечества.

Витамины поступают в организм из нескольких источников. Один источник это нежирное мясо животных, в особенности субпродукты (печень, почки). В них содержатся большие концентрации витаминов.

Семена, типа бобовых, грецких орехов, фундук, так же как целые семена хлебных злаков богаты витаминами. Корни и клубни (картофеля) менее богаты ими. Во фруктах и зеленых овощах их количество различно. Содержание витаминов меняется в зависимости от почвы и погодных условий, а также от условий хранения или приготовления, если они приготовлены.

В ряде продуктов все витамины содержатся вместе. Но они представляют различные группы по структуре и свойствам.

Таким образом, они должны рассматриваться отдельно. Тем не менее их можно подразделить на две группы: жирорастворимые (растворяющие жиры) витамины, с одной стороны, и водорастворимые (растворимые в воде) витамины с другой стороны.

a. Растворимые в жирах витамины (жирорастворимые витамины)

Существует четыре растворимых в жирах витамина: A, D, E и K. Все эти витамины в природе обычно находятся в продуктах, содержащих жиры: масле, сливках, растительном масле, жире и некоторых овощах.

Растворимые в жирах витамины обладают следующими общими свойствами:

— они устойчивы к нагреванию и не разрушаются даже в процессе приготовления пищи;

— они аккумулируются в организме, особенно в печени. Это означает, что их недостаток в организме становится заметным только по прошествии длительного периода времени;

— они могут быть токсичны, если их употреблять в избыточном количестве (особенно витамины A и D).

б. Водорастворимые витамины

Эти витамины растворимы в воде, а значит могут удаляться с мочой. Поэтому их нужно потреблять в избытке. Хотя каждому из них присущи специфические свойства, было выяснено, что эти витамины тесно связаны с различными клеточными реакциями, в которых они участвуют.

Основные водорастворимые витамины следующие:
— витамин C: аскорбиновая кислота;
— витамин B1: тиамин;
— витамин B2: рибофлавин;
— витамин PP: никотиновая кислота;
— витамин B5: пантотеновая кислота;
— витамин B8: биотин;
— витамин B9: фолиевая кислота;
— витамин B12: цианикобаламин.

Подобно микроэлементам, витамины являются катализаторами многих биохимических реакций. Сейчас мы весьма хорошо знакомы с последствиями их отсутствия, поскольку последствия этого очевидны. Менее известны условия их взаимосвязи и действительные последствия, которые вызывают их недостаток.

В свете наших познаний, которые дополняются в результате ежедневных наблюдений, возникают все новые вопросы, связанные с ролью витаминов в жизни организма.

Мы откроем для себя в следующих главах, что небольшая полнота и тем более ожирение скорее являются результатом нарушения обмена веществ, а не обильного рациона, как нас очень часто принуждают думать.

Мы увидим, что резкое уменьшение количества потребляемой нами пищи, как это рекомендуется на основании теории низкокалорийных диет, может привести только к обострению дефицита минеральных веществ и витаминов, которые содержались в привычных нам продуктах питания.

Вы узнаете, что именно неправильное снижение потребляемых калорий приводит нас к ожирению, столь характерному для индустриального общества и, в особенности, Соединенных Штатов.

В последующих главах мы будем обсуждать более подробно различные изменения, происшедшие с продуктами питания и их загрязнение. Вы узнаете, как можно избежать или ограничить вредные воздействия этих изменений.

О важном значении этой технической главы я говорил в самом начале этой книги.

Прочитайте ее внимательно. Это необходимо для Метода в целом и понимания следующей главы. Теперь, зная состав питательных веществ продуктов, вы можете понять, почему поправляетесь и каким образом можно реально и необратимо похудеть.

Глава IV

ПОЧЕМУ МЫ ПРИБАВЛЯЕМ В ВЕСЕ?

Традиционные диетологи, упорно использующие теорию калорий со всеми ее ограничениями, убеждают вас, что вы (в данном случае, мы не рассматриваем возможные генетические причины) виноваты в прибавлении в весе, т.к. слишком много едите. Вы знаете, что это неверно. Каждый, кто пробовал похудеть, сокращая количество потребляемых продуктов, не только не сумел навсегда избавиться от избыточного веса, но очень часто обнаруживал, что спустя несколько месяцев восстановил или даже увеличил свой прежний вес. Еще раз отметим, что в отложении жира виноват не избыток энергии из потребляемых продуктов питания, а, как мы подробно увидим в этой главе, характер потребляемых продуктов, так сказать их питательные свойства.

Эта глава, как и предыдущая, имеет несколько технический характер. Она посвящена реальной причине увеличения веса. Поэтому вы должны ее прочитать внимательно. Чтобы ответить на вопрос "почему мы прибавляем в весе", мы должны рассмотреть уровень роста гликемии и его влияние на легкость отложения жиров.

Ранее мы объясняли, что функцию топлива в нашем теле выполняет глюкоза. Постоянный источник, заставляющий функционировать все органы, нуждающиеся в глюкозе (мозг, сердце, почки и др.), — это кровь. Мы видели, что теоретически содержание глюкозы в крови соответствует 1 грамму на литр крови.

В действительности у организма есть два способа получения необходимой глюкозы и поддержания ее на уровне 1 грамма глюкозы на литр крови.

Первый способ получения глюкозы — это ее создание. Организм обладает способностью вырабатывать глюкозу в любое время из резервных жиров, накопленных в жировых тканях. В случаях острой необходимости глюкоза может быть произведена за счет тощих тканей, например, из белков, присутствующих в мышцах.

Второй способ получения глюкозы — поступление ее в организм из продуктов питания, принадлежащих к семейству углеводов, например, сахаров, фруктов и других крахмалов (см. Главу III, Часть I).

Известно, что организм во время процесса пищеварения преобразовывает все углеводы (кроме фруктозы) в глюкозу.

Глюкоза после переваривания проходит через кровь и затем откладывается в организме в виде гликогена. Другими словами, глюкоза образующаяся после употребления углеводов, мгновенно повышает гликемию.

При употреблении фруктов, сладостей или крахмалов, концентрация глюкозы в крови резко возрастает относительно нормального уровня (который как мы знаем соответствует 1 грамму на литр крови). Она может повыситься, например, от 1 грамма до 1,2 граммов, когда вы едите фрукты, или до 1,7 граммов при употреблении картофеля. Резкое повышение гликемии вследствие поглощения углеводов называется гипергликемией.

Как только содержание глюкозы переходит уровень 1 грамм на литр крови у вас появляется гипергликемия. Слишком низкая (около 0,5 г/л) гликемия говорит о том, что у человека развивается гипогликемия (см. график ниже). Напомним, что гипергликемия, возникающая в результате потребления углевода, связана с индексом гликемии этого углевода.

Так, если употреблять фрукты с очень низким уровнем индекса гликемии (30), гипергликемия будет очень низкой. Напротив, если мы, например, едим сладости (с индексом гликемии 75), или печеный картофель (с индексом гликемии 95), гипергликемия будет высокой и кривая может достигнуть отметки 1,75 граммов.

Как только вы превысите нормальный уровень в 1 грамм на литр, будет включен механизм контроля. Этим механизмом контроля является поджелудочная железа, которая вырабатывает инсулин.

Основное свойство гормона инсулина — понижать уровень гликемии, заставляя глюкозу поступать в нуждающиеся в ней органы. Вторая функция инсулина — способствовать образованию запаса жиров. Таким образом, как только гликемия становится выше 1 г/л, поджелудочная железа вырабатывает инсулин, чтобы вернуть кривую к норме.

Как только уровень падает ниже нормы (гипогликемия), организм, чтобы восстановить баланс, снова повышает уровень глюкозы в крови (см. рис. 6).

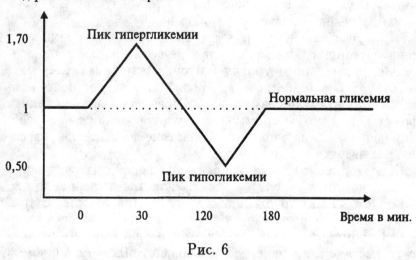

Рис. 6

Обычно, количество инсулина, вырабатываемого поджелудочной железой для понижения гликемии, прямо пропорционально уровню гликемии. Например, если вы едите фрукты, вызывающие лишь небольшую гипергликемию, поджелудочная железа произведет очень мало инсулина для снижения уровня гликемии, поскольку необходимая компенсация незначительна.

Однако, если вы едите какие-нибудь сладости, которые

вызывают высокую гликемию, поджелудочная железа должна выделить в кровь большую дозу инсулина, чтобы восстановить уровень гликемии.

В любом случае глюкоза, улавливаемая из организма инсулином, будет накапливаться в печени (в форме гликогена), или иначе использоваться мозгом, почками или красными кровяными тельцами.

Теперь мы знаем, что тенденция к накоплению веса и предрасположенность к ожирению связаны с дисфункцией поджелудочной железы (панкреатической дисфункцией). Это означает, что при высокой гипергликемии их поджелудочная железа будет вырабатывать избыточные дозы инсулина. Иначе говоря, такие люди страдают гиперинсулинизмом.

Наукой было доказано, что именно гиперинсулинизм является причиной патологического накопления жировых запасов. Для лучшего понимания этого явления давайте проведем два эксперимента: первый — когда человек, склонный к полноте, ест кусок хлеба с маслом.

Эксперимент первый

Мы дадим испытуемому съесть 100 грамм белого хлеба, на который намажем 30 грамм масла. Хлеб будет переработан в глюкозу, а масло — жирную кислоту. И то и другое попадет в кровяной поток (см. диаграмму 1, стр. 80).

Белый хлеб — это углеводы с высоким уровнем индекса гликемии, которые, следовательно, вызывают высокую гипергликемию (около 1,70 граммов).

Чтобы снизить такую гликемию, поджелудочная железа произведет определенное количество инсулина. Но, поскольку, функция поджелудочной железы нарушена, количество инсулина будет диспропорционально нормальному количеству (см. диаграмму 2, стр. 80). Именно этот излишек инсулина вызовет анормальное накопление некоторых жирных кислот из масла (см. диаграмму 3 и 4, стр. 80, 81).

Первый эксперимент

Пациент съедает 100 г белого хлеба и 30 г масла

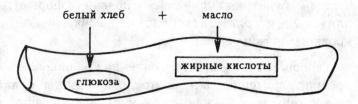

Диаграмма 1. Кровеносные сосуды, белый хлеб=глюкоза масло = жирные кислоты

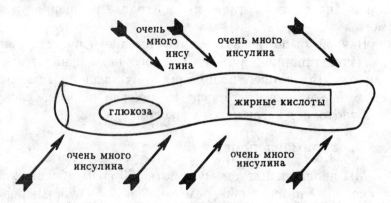

Диаграмма 2. Большое количество глюкозы, содержащейся в крови приводит к значительному выделению инсулина и вызывает гиперинсулинизм

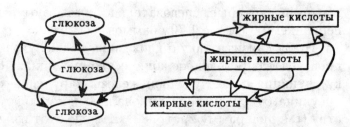

Диаграмма 3. Инсулин улавливает глюкозу, содержащуюся в крови, но избыток глюкозы (гиперинсулинизм) способствует образованию значительного количества жирных кислот

Первый эксперимент *(продолжение)*

накопление жиров — жирные кислоты

жирные кисоты

глюкоза — накопление гликогена

Диаграмма 4. Сохранение глюкозы в виде глюкогена. Жирные кислоты преобразованы в резервные запасы жира и снова происходит увеличение веса

Второй эксперимент

Съедено 100 г хлеба грубого помола и 30 г масла

хлеб грубого помола + 30 г масла

глюкоза — жирные кислоты

Диаграмма 1. Кровеносные сосуды, хлеб грубого помола = глюкоза   масло = жирные кислоты

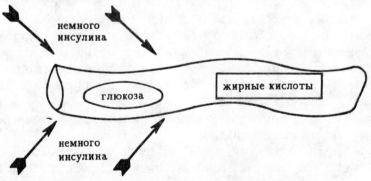

немного инсулина

глюкоза — жирные кислоты

немного инсулина

Диаграмма 2. Поскольку поступление глюкозы незначительно, то выделено очень мало инсулина

Эксперимент второй

На этот раз мы дадим испытуемому съесть 100 граммов хлеба из непросеянной муки, на который намажем наши 30 граммов масла (см. рис. 1, стр. 81). Такой хлеб, имея низкий гликемический индекс (35), лишь немного влияет на содержание глюкозы в крови (около 1,20 грамм).

Чтобы снизить это небольшое повышение, поджелудочная железа соответственно выделит малое количество инсулина (см. диаграмму 3. стр. 83).

Поскольку гиперинсулинизации не возникает и поджелудочная железа получает только слабый сигнал, она создаст небольшую дозу инсулина, необходимого для того, чтобы слегка сбросить уровень гликемии. Как следствие, жирные кислоты из масла при отсутствии избытка инсулина не будут аномально откладываться про запас (см. диаграмму 4, стр. 83).

Эксперимент с маслом и хлебом несколько схематичен, однако, позволяет вам понять причины, ведущие к накоплению запасов жира и, следовательно, к избыточному весу. В обоих случаях наш "подопытный кролик" ел одно и то же: 100 граммов хлеба + 30 граммов масла. Почему же в первом случае человек полнеет, а во втором нет? Конечно все дело в качестве хлеба! Единственное объяснение в составе хлеба.

Разумеется белый хлеб — это рафинированный продукт. Не только его клетчатка, но также большинство его белков, витаминов, минеральных солей и микроэлементов были удалены при его создании. В этом причина его высокого гликемического индекса. С другой стороны, хлеб из непросеянной муки является нерафинированным продуктом, в котором сохранены все исходные питательные компоненты, особенно клетчатка и белки. Именно поэтому его гликемический индекс низкий. Потребление белого хлеба вызывает высокую гликемию и приводит, поэтому, к увеличению веса в результате гиперинсулинизации.

Хлеб из непросеянной муки не вызывает высокой гликемии и не способствует накоплению жирных кислот из масла, поскольку чрезмерного выделения инсулина (гиперинсулинизации) при его потреблении не произойдет.

Второй эксперимент *(продолжение)*

Диаграмма 3. Небольшое количество инсулина улавливает глюкозу из крови, но оно недостаточно для накопления жирных кислот.

Диаграмма 4. Глюкоза сохранена в виде гликогена. Жирные кислоты не накапливаются в виде резервных жиров, поэтому не происходит увеличение веса

Мы продемонстрировали, что увеличение веса не зависит от количества энергии, содержащейся в продуктах (которое практически одинаково в этих двух видах хлеба).

От природы потребляемой пищи, точнее ее питательного состава, зависит как нормальный так и избыточный вес.

В первом случае, увеличения веса не происходит, т.к. гликемический индекс хлеба достаточно низок. Однако, в описании этого эксперимента мы проявили осторожность, ограничивая его тем обстоятельством, что испытуемый страдал дисфункцией поджелудочной железы (гиперинсулинизацией).

Что отличает худого человека от полного? То, что один из них, питаясь теми же продуктами (углеводами с высоким индексом гликемии), страдает ожирением из-за гиперинсулинизации. В этом случае не достигается баланс между количеством выделяемого инсулина и количеством потребляемых углеводов. Человек будет продолжать употреблять чрезмерное количество плохих углеводов, не сознавая этого, пока не заметит увеличения веса.

Понятно, что полнота и тем более ожирение — это только косвенное последствие потребления продуктов со слишком большим содержанием углеводов с высоким гликемическим индексом (слишком много белого сахара, белой муки, картофеля) в сочетании с одновременным употреблением жиров.

Чрезмерное употребление плохих углеводов в результате обернется постоянной гипергликемией, последствием которой явится неправильное стимулирование поджелудочной железы. Последняя в течение нескольких лет может достаточно стойко противостоять вредному воздействию, на которое она не рассчитана. Позднее, начнут появляться признаки изношенности. Именно по этой причине люди набирают вес с годами. Полнота всегда пропорциональна развитию уровня гиперинсулинизации.

Результаты влияния пищи на гликемию

Я принимаю доводы некоторых моих оппонентов, что идея гликемического индекса является чисто теоретической. Они подчеркивают, что пища содержит различные составляющие и роль углеводов не слишком велика. Однако, некоторые исследования свидетельствуют, что идея гликемического индекса остается в силе и в случае с более сложной пищей. Гликемический индекс зависит и от количества поглощаемых углеводов, и от количества одновременно съедаемых белков и клетчатки. Мы действительно имеем дело с влиянием всех составляющих пищи на гликемию. Исследования показали, что ее уровень незначительно меняется при раздельном питании этими же самыми углеводами.

Наряду с концепцией гликемического индекса следует

учитывать уровень выделения инсулина. Важно знать, что человек, страдающий гиперинсулинизацией, вырабатывает больше инсулина при употреблении углеводов совместно с более сложной пищей (за исключением бобов фасоли), чем раздельном питании...

Независимо от идеи гликемического индекса, необходимо учитывать уровень секреции инсулина. Доказано, что у человека, страдающего гиперинсулинизацией, количество выделенного инсулина всегда выше тогда, когда глюциды (сахарины) были употреблены не раздельно, а в наборе блюд... Так обстоит дело с человеком, страдающим от ожирения (включая диабетиков не зависимых от инсулина).

Если вы склонны к полноте с детства, то ваша поджелудочная железа была в плохом состоянии уже тогда, когда вы появились на свет. Нет сомнений, что причина этому — плохая наследственность. И плохие пищевые привычки, которые вы приобрели с тех пор (потребляя слишком много плохих углеводов), лишь усугубляют положение.

Избыточный вес и ожирение, от которых сегодня страдает Западное общество, являются следствием неправильного питания с высоким содержанием плохих углеводов...

Наши традиции питания изменялись на протяжении ста пятидесяти лет. Фактически, начиная с первой половины XIX века эти новые, вызывающие гипергликемию продукты, широко распространились в Западном обществе: сахар, картофель, белая мука.

Сахар

До XVI века сахар был практически не известен в Западном мире. Его иногда ели как приправу, редкость которой делала ее чрезвычайно дорогой, доступной только самым богатым. Открытие Нового Мира способствовало относительному распространению сахарного тростника, однако стоимость доставки и очистки все еще оставляла сахар среди продуктов роскоши, предназначенных для немногих. В 1780 году потребление сахара было меньше одного килограмма на душу населения в год. Открытие в 1812 году процесса выделения сахара из свеклы постепенно превращало сахар в широко распространенный продукт потребления, цена которого постоянно понижалась.

Статистика потребления сахара во Франции следующая:

1800 г. — 0,6 килограмма в год на душу населения
1880 г. — 8 килограммов в год на душу населения
1900 г. — 17 килограммов в год на душу населения
1930 г. — 30 килограммов в год на душу населения
1965 г. — 40 килограммов в год на душу населения
1990 г. — 35 килограммов в год на душу населения

Как известно, сахар — это углевод с высоким гликемическим индексом (75). Потребление сахара вызывает гипергликемию, которая ведет к чрезмерной стимуляции поджелудочной железы.

Несомненно, что открытие свекольного сахара значительно ухудшило привычки питания нашего общества. В истории человечества еще не было столь радикального изменения привычек питания за столь короткий период времени.

Французы, однако, могут радоваться тому, что у них наиболее низкое потребление сахара в Западном мире. Англичане употребляют 49 кг на душу населения в год, немцы — 52 кг, а мировой рекорд принадлежит американцам — 63 кг на душу населения в год!

Картофель

Некоторые полагают, что картофель является частью культурного наследия старой Европы. Ничего подобного! Картофель получил распространение только в начале XIX века, после предложения Парментьера использовать его в качестве заменителя пшеницы во время голода незадолго до Французской революции.

Картофель, после его открытия в Перу в середине XVI века, использовали только для откорма свиней. Тогда его называли пищей для свиней. К нему относились с большой настороженностью. Известно, что картофель в ботанике относится к семейству пасленовых, большинство видов которого ядовиты.

Сегодня для нас интересно узнать, что у картофеля один из наиболее высоких гликемических индексов, а у печеного картофеля он выше, чем у сахара.

Способ приготовления очень важен для картофеля, поскольку при этом в большей или меньшей степени удаляются устойчивые (трудно усваиваемые) крахмалы. Когда картофель готовят в духовке или делают пюре, количество устойчивого крахмала ниже и он легче усваивается.

Как продукт питания картофель представляется довольно посредственным. Он не только вызывает чрезмерную гипергликемию, но и его питательный состав после приготовления очень низкий (остается 8 мг из 100 витамина C и совсем мало клетчатки). Содержание витаминов, минеральных веществ и микроэлементов также незначительно, поскольку они находятся в области кожуры и поэтому систематически удаляются при чистке. Количество питательных веществ в картофеле также уменьшается при длительном хранении.

Очищенная мука

Муку всегда просеивали через решето. В прошлом это выполнялось вручную, и поскольку эта процедура увеличивала стоимость (30% отходов), она была доступна лишь немногим привилегированным людям. Большинство могло позволить себе только черный хлеб и исходя из этого, Французская революция сделала белый хлеб одним из главных символов. Однако только с изобретением в 1870 году вальцовочной мельницы стало возможным существенное снижение цен на очищенную муку и у большого числа людей появилась возможность есть белый хлеб ежедневно.

Теперь мы знаем, что в очищенной муке не хватает многих питательных веществ: белков, необходимых жирных кислот, витаминов, минеральных веществ, микроэлементов, клетчатки. Известно, что очистка пшеничной муки повышает ее гликемический индекс с 35 до 70, превращая ее таким образом в продукт, вызывающий гипергликемию. В наших обществах (кроме американцев) мы вероятно едим меньше хлеба, чем сто лет назад. Однако мы употребляем много различных продуктов, приготовленных из белой муки: макароны, сэндвичи, пиццу, печенье, различные пирожные и проч.

Белый рис и кукуруза

Общеизвестно, что белый рис пришел к нам из Азии. Его употребляли в Азии вместе с овощами, содержащими большое количество клетчатки, витаминов, минеральных солей и микроэлементов. Такое сочетание риса и овощей снижало причастность риса к повышению гликемии. Жители Запада, которые изобрели способ очистки риса, чаще употребляют рис с мясом, то есть с насыщенными жирами. Клейкий рис, являющийся подлинно азиатским (даже белый) имеет гликемический индекс значительно более низкий, чем Западный рис (особенно американский), при селекции сортов которого основным критерием была высокая производительность. В любом случае — это четвертый углевод с высоким гликемическим индексом, который был только недавно введен в каталог современных продуктов питания.

То же относится к кукурузе. Разновидности, которые едят на Западе, относятся к гибридам, разработанным в лабораториях в рамках агрономических исследований, направленных на продуктивность. Кукуруза, которую изначально ели американские индейцы, имеет гликемический индекс значительно более низкий (около 30). Было доказано, что разница объясняется более высоким содержанием клетчатки. Высокий уровень содержания растворимой клетчатки не только приводил к снижению гликемии, но также позволял такой кукурузе удерживать влагу. Из этого становится понятно, что из-за отсутствия растворимой клетчатки, современная кукуруза требует гораздо большего полива, что имеет известные экологические последствия, связанные со снижением уровня грунтовых вод.

Чтобы понять явление тучности и ожирения на Западе, нужно обратить внимание на изменения традиций питания в современном мире. Предпочтение отдается продуктам, вызывающим гипергликемию (сахару, картофелю, мучному, белому рису) в ущерб углеводам с низким гликемическим индексом (зеленым овощам, чечевице, бобам, гороху, сырым злаковым, фруктам и т.д.), которые составляли основу нашего питания в старые времена. Надеюсь вы поняли, почему все агрономические исследования в последние несколько лет были направлены только на повышение продуктивности в ущерб пищевому качеству продуктов. Например, истощение злаковых привело к увеличению гликемического индекса, оказывающего воздействие на обмен веществ, о чем мы уже говорили. Посмотрите на таблицу гликемического индекса (см. Главу III) и заметите, что современные продукты находятся в левой колонке (высокий гликемический индекс), а более традиционные продукты находятся в правой колонке. Модели изменения пищевых традиций в Западном обществе соответствует перемещение продуктов из правой колонки в левую. Люди выбрали модель питания, в которой преобладают углеводы с высоким гликемическим индексом. С начала XIX века жители Запада употребляли в своем рационе все больше и больше гипергликеминовых продуктов... Но даже если их поджелудочная железа начинала подавать признаки изношенности, ожирение было все еще незначительным. Существует два объяснения этому. Во-первых, потому, что люди в то время ели гораздо больше овощей и бобовых чем сегодня, которые снабжали организм большим количеством клетчатки. Напомним, что клетчатка способствует понижению гликемии и ограничивает секрецию поджелудочной железы.

Кроме того, гликемический индекс хлебных злаков (даже частично очищенных) был намного ниже из-за низкой продуктивности. Во-вторых, и прежде всего, люди ели очень мало мяса, поскольку не всегда могли его себе позволить. Это означает, что потребление ими жира было низким.

Мы уже знаем, что стимулятором для резкого увеличения веса, являются два условия: потребление продуктов, вызывающих гипергликемию, с одной стороны, и потребление гиперлипидных (богатых жирами) продуктов с другой.

Более столетия в нашем обществе постепенно повышалась доля продуктов питания, вызывающих гипергликемию, в то время как потребление жиров существенно не увеличивалось. Последствия гиперинсулинизма уже существовали, но еще не были так заметны. Тучность, которая начала распространяться в Западных странах после Второй Мировой войны и внезапно возникшая проблема ожирения, связаны с появлением одного из провоцирующих факторов (чрезмерное потребление жиров).

С улучшением уровня жизни Западное общество быстро изменило привычки питания, отдавая предпочтение потреблению мяса, а следовательно, и жиров, плохим углеводам (сахарам, очищенной муке, картофелю, рассыпчатому белому рису, гибридам кукурузы). Все меньше употреблялось овощей и чечевицы, то есть меньше клетчатки. Это оказало чрезвычайное влияние на жизнь американцев. Именно в США употребляют огромное количество вызывающих гипергликемию продуктов, в основном, мяса, а зеленых овощей — меньше. Поэтому не удивительно, что США стоит на первом месте в мире по ожирению.

На протяжении столетий всегда отмечалось, что те немногие, страдающие ожирением люди всегда относились к привилегированным сословиям. Люди думали, что богатые страдают ожирением из-за того что богаты и поэтому едят больше остальных. На деле богатые люди ели не больше, чем большинство людей. Но питались они по другому. Им были доступны сахар и очищенная мука, которые были редкостью и стоили очень дорого.

В Соединенных Штатах в настоящее время большая часть людей, страдающих ожирением, относится, в основном, к неимущему классу. Им стали доступны вызывающие гипергликемию продукты, как например, очень жирное мясо, которое стало значительно дешевле.

Еще раз напоминаю, эта глава является очень важной для понимания принципов Метода, детальное разъяснение которого последует.

Вы должны понять, почему от вида углевода зависит вызовет он отложение жира, или нет. Чтобы суметь похудеть и больше не набирать вес снова, обязательно нужно знать, почему в нашем организме образуется жир.

Надежда, что вы окончательно избавитесь от лишнего веса, основывается на факте, что человеческий организм способен на полное изменение. Все американцы, приезжающие во Францию, удивляются тому, что теряют в весе, питаясь традиционными французскими блюдами. Напротив, французская молодежь, проводящая лето в США, возвращается слегка пополнев. Это означает, что именно привычки в питании, которым мы привержены, вызывают у нас либо увеличение, либо потерю веса. И именно качество, а не количество того, что мы едим, отвечает за это.

Если вы едите исключительно углеводы из левой колонки, те, что с высоким гликемическим индексом, вы располнеете. Если вы предпочтительно выбираете те, что в правой колонке, значит есть все основания полагать, что вы начнете терять вес. Метод, который я предлагаю, основан на выборе продуктов питания. Как вы знаете, он является не ограничительным, а селективным. Именно правильный выбор продуктов, а не их количество дает вам возможность похудеть эффективно и на длительный срок. При этом вы можете питаться с удовольствием и даже гастрономически.

Если после нескольких месяцев правильного применения Фазы 1, вы не обнаружите существенной потери в весе, или потеряли недостаточно, вы должны поискать причину такой устойчивости к похуданию. Разумеется, речь не идет о женщинах, чей вес уже идеален, но которые упрямо хотят похудеть, а также о тех, кто ошибочно принимает целлюлит за жир.

Существует ряд причин устойчивости организма к похуданию и некоторые из них необходимо отметить:
— некоторые лекарства могут оказывать негативное влияние на обмен веществ, такие как транквилизаторы, антидепрессанты, препараты лития и бета-блокаторы, кортизон и содержащие сахар тонизирующие напитки (см. главу VII, часть II);

— стресс (о котором мы поговорим позднее). Регулируя его методами релаксации возможно можно достичь необходимой потери веса;

— гормональные проблемы, появляющиеся у женщин перед или во время менопаузы, при применении или без применения медицинского лечения (см. Часть II);

— повышенное чувство голода, которое требует терапии поведения.

Индейцы Аризоны и австралийские аборигены снова открывающие для себя низкий гликемический индекс.

В 1945 году Новый Курс президента Рузвельта открыл индейские резервации в США, таким образом позволив им приобщиться к порочной пищевой культуре "бледнолицых".

Спустя пятьдесят лет эти люди стали жертвами ожирения и диабета. Несколько лет назад предложили "вернуть" индейцев Аризоны к их изначальным привычкам питания, и оба этих бича обмена веществ были полностью ликвидированы.

Было доказано, что единственным объяснением необычных результатов при одинаковом потреблении калорий (особенно включающих жиры), является выбор углеводов с низким гликемическим индексом.

Подобный эксперимент был предпринят в Австралии с аборигенами, чье существование было сохранено благодаря возвращению к их традиционным привычкам питания.

Глава V

МЕТОД

Когда мы смотрим по телевидению рекламу продуктов питания, то удивляемся разнице в назойливых аргументах, используемых для рекламы продовольствия для людей и наших братьев меньших.

Реклама продуктов питания для домашних животных, обычно, разворачивается по классическому сценарию. Сначала появляется сам производитель, поскольку ссылки на мнение профессионала укрепляют доверие к рекламе. Затем появляется животное, например, собака, мчащаяся по лугу, чтобы подчеркнуть ее жизненные силы. Далее наше внимание привлекут к ее лоснящейся шерсти и блестящим глазам, демонстрирующим ее отличное здоровье. В конце появляется ветеринар и объясняет, что причина великолепного состояния животного в том, что хозяин кормит его кормом Х, и он, как ученый смог убедиться в качестве этого корма. Хозяин перечисляет все необходимые питательные вещества, которые в этом корме содержатся: белки, витамины, минеральные соли, микроэлементы и клетчатка.

Совсем другая картина возникает при рекламе продуктов питания для простых смертных. Акцент в рекламе делается исключительно на стоимость, упаковку или даже способы сохранения продуктов. Есть знаменитая французская реклама супа. В ней объясняется, что участник велогонки пришел последним только потому, что не смог выпить в пути чашку с рекламируемым супом. Сообщается, что именно этот суп, приготовление которого займет лишь несколько секунд, а вкусовые качества необыкновенно хороши и напоминают суп, который готовила ваша бабушка, принес успех другим участникам гонки.

В действительности, эта замена — фальшивая и никто

не заботится о содержании питательных веществ (глюта-минов натрия, сахара, крахмала, консервантов, и т.д.) и от-сутствии некоторых из них.

Когда руководитель рекламной компании думает о созда-нии нового рекламного ролика, его профессиональный опыт неизбежно приводит к использованию образов и символов, которые подсознательно воспринимает публика.

Для чего перечислять питательные элементы рекламиру-емого продукта и восхвалять его достоинства, если публика к этому безразлична!

В течение последней половины столетия наше общество благополучно забыло, что фактор питания необходим не только для нашего здоровья, но и для нашего выживания.

Диетологи подчеркнули энергетические аспекты продук-тов питания, но пищевая промышленность была в состоя-нии сконцентрироваться исключительно на экономических аспектах, которые стали возможными в связи с колоссаль-ными достижениями технологии. Мышление трансформиро-валось. Урбанизация, организация общества, работающие женщины и свободное времяпровождение в значительной степени модифицировали отношение индивидуума к продук-там питания.

Блестящим подтверждением этого тезиса является аме-риканская модель.

В США акт питания сведен до уровня удовлетворения фи-зиологической потребности. Процесс принятия пищи равно-ценен походу в туалет. С таким отношением, к чему тра-тить деньги? Вот почему выбор продуктов, в первую оче-редь, обусловлен их ценой. Ответом рынка на это требова-ние было создание "пищи, съедаемой на ходу" (fast food), типа "Макдональдс", "Пиццы", "Бургер кинг" и т.д. по це-не блюда в 99 центов. Меньше доллара!

В рамках рабочего дня, обед в Америке никогда не при-нимался во внимание. Вспомните комментарии к фильму *Уолл Стрит*: "обед — это для слабых и неспособных ". Официально его не существует. Именно по этой причине американцы едят на ходу или сидя на краю стола. Для врожденного француза принятие пищи принадлежит к другой категории. Еда — это часть жизненного ритуала, и даже если она необходима для поддержания жизни, это прежде всего способ хорошо провести время. Принятие пищи — это посвящение в удовольствие, которое не должно быть опорочено, как это часто делается в более пуританском обществе.

Кулинария и гастрономические традиции — это не просто фольклор, они — часть фундаментальной культуры Франции. Кулинария — это не приготовление еды, а искусство, которое имеет свои нюансы, отличительные черты и определенные географические различия. Кулинария и местные продукты являются частью национального достояния и коренные французы бессознательно гарантируют передачу этих традиций от поколения к поколению.

Время обеда священно. Обеду отводится время, специально для него предназначенное. В провинциях офисы, магазины и местные администрации закрываются: большинство людей уходят домой, чтобы провести обед со своими семьями. Другие встречаются в кафетериях или столовых. Такая трапеза является важной частью самого существования, и к ней надо относиться как к реальному социальному институту.

Искусство жизни, без сомнения, связано с искусством принятия пищи. Именно по этой причине француз без колебаний истратит на это время и деньги.

Французский парадокс

17 ноября 1991 года наиболее популярная американская телевизионная программа "60 минут" уделила двадцать минут времени статье под названием "Французский парадокс".

В ней говорилось, что французы проводят за столом значительное количество времени, употребляют на 30 % больше жира чем американцы, не занимаются физкультурой, пьют в десять раз больше вина и в действительности значительно здоровее, чем американцы.

Усредненная кривая их веса ниже чем в любой другой западной стране. Уровень риска смерти французов от сердечно-сосудистых заболеваний самый низкий в мире после Японии.

В действительности, программа CBS использовала материалы, собранные Всемирной организацией здравоохранения (ВОЗ) при выполнении исследования под названием "Моника".

Как удалось французам сократить на треть, по сравнению с американцами, опасность сердечно- сосудистых заболеваний, когда они делали прямо противоположное тому, что рекомендовалось по всей Америке?

Несколько смущаясь, ученые должны были признать, что этому явлению есть следующие объяснения:

—французы делают перерыв для еды;

—они едят три раза в день;

—они употребляют структурированную еду, т.е. три блюда различного состава;

—они употребляют больше овощей и фруктов, а следовательно больше клетчатки;

—они используют хорошие жиры (оливковое масло, подсолнечное масло, гусиный, утиный и рыбий жир);

—они пьют вино, особенно красное, и делают это регулярно.

После появления программы "Французский парадокс", которая привела к увеличению потребления вина и паштета из гусиной печенки в США, были проведены более разносторонние исследования. Они показали, что за идеал питания должна быть взята модель, которая всегда использовалась на Средиземноморье и которой следовала большая часть населения юга Франции. Означают ли результаты этих международных исследований, что французам остается лишь поглаживать себя по спине, совершенно не изменяя привычек питания?

Ситуация во Франции действительно достаточно удовлетворительная, особенно в сравнении с Америкой, где она просто драматична. Но это не означает, что во Франции не происходит ухудшение ситуации. Статистические данные говорят о том, что в последние несколько лет средний вес молодежи во Франции значительно вырос (в течении 20 лет приблизительно на 15 %). Несколько лет назад медицинский журнал Le Quotidien du Medicin сообщил об исследовании, проведенном с молодыми солдатами. Результаты показали резкое увеличение числа солдат, имеющих более высокий уровень содержания холестерина. Двадцать лет назад число таких солдат составляло 5 %, а в момент проведения исследования их количество возросло до 25 %.

Поэтому явление "Французского парадокса" не было подтверждено нынешним и грядущим поколениями и для этого имеются серьезные причины. Нынешнее поколение отклоняет прошлое и меняет привычки питания. Под давлением рекламы молодежь без сопротивления приняла американскую модель, в которой кока кола и гамбургеры — единственный свет в окошке.

Взрослые значительно более консервативны в привычках питания, которые основаны на глубоких традициях. Однако, и они под воздействием изменения стиля жизни, избыточной стандартизации агро-пищевой индустрии и влиянием рекламы, медленно меняют свои привычки.

Когда мы анализируем виды современного питания, то видим, что они очень близки к тем, что используются в американской кулинарии: как говорят, гипергликемичны. Продукты питания, которые доминируют в нашем обществе, в основном, следующие:

— **белая мука** во всех ее видах (белый хлеб, все виды булочек, сэндвичи, хот-доги, пицца, бисквиты, пирожные, крекеры, макаронные изделия, каши из хорошо очищенных злаковых культур, и т.д.);

— **сахар** в качестве добавок к фруктовым сокам и таким напиткам как кока-кола, а также в различных сладостях, в особенности, в шоколадках типа "марс", "кет-кит" и т.д.;

— **картофель**, в основном, в его наихудшем виде: чипсы, хрустящий и жареный;

— **европеизированый белый рис**, употребление которого ведет к повышению гликемии, т.к. он варится в воде, которая затем сливается.

Раньше люди употребляли овощи, выращенные на огороде с применением органических удобрений. Потребление клетчатки из таких овощей составляло в среднем 30 грамм на одного человека. На сегодняшний день потребление клетчатки достигает 17 грамм, а должно составлять не менее 30–40 грамм.

Теперь остановимся на самом важном. Метод Монтиньяка позволяет достичь надежного контроля за весом. И он не концентрируется только на процессе похудания и предполагает следующее:

— обеспечивать предупреждение сердечно-сосудистых заболеваний;

— восстановить максимально жизненные силы;

— разнообразить потребляемые продукты питания и расходовать продукты разумно. Еда должна оставаться удовольствием, которое вы разделяете с друзьями!

Предлагаемый мной Метод достаточно прост. Он состоит в изменении порядка привычек питания в соответствии с общими понятиями гликеминового уровня.

Вы узнали из предыдущей главы, что склонность к ожирению связана с плохим состоянием поджелудочной железы и выделением ею избыточного количества инсулина.

В целом, стратегия питания, которую мы собираемся ввести, связана, во-первых, с отказом от продуктов с высоким индексом гликемии, и, во-вторых, с предпочтительным выбором продуктов с низким индексом гликемии, а также с тщательным выбором жиров.

Снова и снова, я хочу предупредить моих читательниц: чтобы понять достоинства принципов Метода, необходимо с огромным вниманием прочитать и понять предыдущие главы.

Многие из вас наблюдали за деформированием своей фигуры после проведения курса низкокалорийной диеты. Эта диета была не только ограничительной, но и соблюдение ее требовало длительного времени. Потерянный в течение низкокалорийной диеты вес вернулся к прежнему, как только вы стали питаться как раньше. Кроме дополнительного веса, вы приобрели чувство разочарования и дополнительную отрицательную нагрузку на ваш организм.

Предлагаемый мной Метод не сводится к изменению привычек питания на короткий период времени и затем к возврату ваших старых привычек. У вас не будет ограничений в количестве еды. Вы научитесь питаться в соответствии с другими принципами и введете их в вашу жизнь. Излишний вес, о котором вы так сожалеете, происходит от ваших плохих привычек питания, и, особенно, связан с употреблением слишком большого количества плохих углеводов (глюцидов) и плохих жиров (липидов).

Новый Метод питания станет частью вашей жизни. Он позволит вам питаться более разнообразно, гармонично и, что, очень важно, сбалансированно. Когда вы достигнете результатов, о которых вы мечтали, не будет никакого смысла возвращаться назад к прежним беспорядочным и нездоровым привычкам питания.

Существенная потеря веса будет достигнута, если вы будете питаться продуктами из правой колонки таблицы гликемического индекса вместо использования продуктов из ее левой колонки. Для достижения этой цели вам нужно время, по крайней мере несколько месяцев. Если же вы хотите достичь результатов быстрее, и восстановить "здоровье" поджелудочный железы, то на ранней стадии использования Метода следует принять особые меры. Поэтому мы разделяем Метод на два периода:

— Фаза 1 — период быстрой потери веса и восстановления жизненной энергии;

— Фаза 2 — период "стабилизации", который может продолжаться всю жизнь.

Фаза 1

Она продолжается от одного до нескольких месяцев в зависимости от индивидуальности и целей пациента. Это время необходимо для изменения привычек питания, отказа от плохих и введения хороших (выбор "хороших" углеводов и "хороших" жиров). Организм человека "очищает" себя сам, и если функции обмена (поджелудочной железы) серьезно не нарушены, он быстро вернется к нормальному.

Этот период переносится легко, поскольку количество потребляемой еды не ограничено. Те, кто длительное время придерживались низкокалорийной диеты, получат удовольствие от одновременной возможности похудеть и вернуться к еде.

Питание в Фазе 1 достаточно избирательно. Некоторые продукты должны быть исключены (плохие углеводы) или должны быть употреблены в определенный период дня. Применение этого периода на практике не требует особых усилий, даже если вы должны питаться вне дома. Блюда должны быть разнообразны и продукты питания хорошо сбалансированы, богаты белками, клетчаткой, витаминами, минеральными солями и микроэлементами. В общем, Фаза 1 не приносит разочарований. Вы питаетесь нормально и не голодны. Приятно, что вы сможете ежедневно наблюдать положительное воздействие новых привычек. Прежде чем мы перейдем к детальному описанию Фазы 1, мы должны остановиться на общих положениях, которые одновременно являются и фундаментальными.

Ежедневное трехразовое питание

Правило придерживаться трехразового питания кажется слишком ординарным, чтобы о нем стоило говорить. Однако, это обстоятельство имеет чрезвычайно важное значение. Помните, что никогда нельзя пропускать еду и необходимо избегать возможность "перекусить", особенно по американскому типу.

Люди, которые боятся поправиться, сравнительно легко отказываются от еды, особенно обеда.

—"Вы собираетесь на обед?"— спрашивает секретарша коллегу.

—"Нет" — отвечает коллега, "я сегодня ужинаю с друзьями и поскольку я слежу за весом и считаю калории, то я очень осторожна".

Это прекрасная иллюстрация того, что происходит ежедневно. Вспомните, о чем мы говорили в главе о низкокалорийной диете: лучший способ накопить жир — это ничего не есть!

Если вы пропускаете еду, то ваш организм страдает от отсутствия необходимых симптомов, паникует и как только наступает последующая еда, встает на защиту и берет реванш, создавая запасы. Эти запасы тем больше, чем более обильна еда.

Рейтинг важности приема пищи

По утрам, когда вы встаете, теоретически, ваш желудок пуст, по крайней мере, в течение восьми-девяти часов. Первый, в течение дня прием пищи — завтрак должен быть наиболее обильным. Так всегда было в прошлом. Сегодня к завтраку отношение наиболее пренебрежительное. Для многих людей он сведен к чашке кофе, чая или напитка на пустой желудок без всякой пищи. Такая практика оказывает катастрофическое воздействие на уровень обмена веществ. Некоторые могут возразить, отвечая "По утрам у меня не только нет времени, но я, в действительности, не голоден". Ответ прост! Если вы не голодны по утрам, то это значит, что вы плотно поужинали. Это порочный круг. Ваше поведение должно быть подобно набору воды из колодца, когда вы предварительно накачиваете воду, прежде чем она пойдет. Начните снижать количество еды, потребляемой за ужином (или совсем откажитесь от него).

Обед должен быть нормальным или достаточным, чтобы прийти на смену завтраку. Ужин должен быть возможно более легким и, в любом случае, задолго до сна, поскольку организм воссоздает свои ресурсы в течение ночи. Иначе говоря, одни и те же продукты питания, употребленные в вечернее время, будут "более жирными", чем те же самые продукты, съеденные за завтраком или обедом.

Позднее мы вернемся к каждому из трех этапов питания в течение дня и объясним, что было бы идеальным и чего необходимо избегать. К сожалению, вы поймете, что большинство членов нашего общества совершает прямо противоположное. Современный стиль жизни, в действительности, привел нас к созданию распорядка трехразового питания, которое абсолютно неправильно:

завтрак — ничего или как можно более легкий;
обед — нормальный, чаще — легкий;
ужин — всегда обильный.

Аргументы, которые, обычно, используются для этой порочной практики, следующие:
— по утрам мы не голодны и у нас нет времени (мы уже упоминали об этом);
— во время обеда предпочтение отдается работе, хотя иногда у вас бывает служебный обед (бизнес-обед).
— вечер — это единственное время, когда семья собирается вместе и имеет возможность посидеть за хорошим столом, который тем более приятен, что вы голодны.

Телевизионная журналистка на вопрос о том, как ей удается принимать участие в ранних утренних передачах, а значит вставать в четыре часа утра, ответила: "Я должна была только изменить свои привычки питания". Это же самое должны сделать вы.

Тысячи людей, подобные вам, уже сделали это, и я не вижу никаких причин, почему вы сами не сможете этого достичь. В любом случае ваш успех зависит от вашей целеустремленности.

Завтрак

Итак, завтрак должен быть существенным (достаточным). В течение Фазы 1 нашего Метода вы почувствуете, как возрастает ваша жизненная энергия, и для этого требуется определенное время.

Встаньте на двадцать—тридцать минут раньше. Это будет сравнительно легко, поскольку после легкого ужина вы спали гораздо лучше чем прежде.

1. Витамины — прежде всего

Некоторые из вас потребляют огромное количество витаминов, другие, напротив, слабо помнят об их существовании. Необходимо перестроить ваши запасы витаминов.

Вы должны осознать, что отсутствие витаминов или их

недостаточность усугубляют усталость. Витамины группы В и группы С практически взаимозаменяемы. Некоторые думают, что они достаточно хороши, если они приобретены у фармацевтов.

При необходимости вы можете делать это только в том случае, если нет возможности их употребления в естественном виде.

Если вы прониклись идеей, что в современных продуктах питания не хватает существенных питательных веществ и что для восстановления баланса вам необходимо отправиться за покупкой синтетических витаминов, то это вам не поможет. Сельскохозяйственная и пищевая индустрия также не озабочены питательным содержанием своей продукции. В будущем, когда воздух будет настолько загрязнен, что дышать будет невозможно, легче будет убедить всех одевать противогаз или регулярно покупать кислород (что уже делают в Японии), чем действительно добиться снижения загрязнения воздуха.

Постарайтесь запомнить,что какие бы дозы витаминов не были бы употреблены, синтетические витамины хуже ассимилируются в организме чем естественные витамины, содержащиеся в продуктах питания. Причиной этого являются вещества, содержащиеся в природных продуктах. Эти вещества, действие которых еще до конца не выяснено, оказывают влияние на улучшение абсорбирования.

Для получения ежедневного рациона витамина В вам нужно пить пивные дрожжи, которые являются идеальным естественным продуктом. Дрожжи можно найти везде (в бакалеях, у фармацевтов и т.д.), а также в специализированных магазинах. В качестве курса лечения в Фазе 1 их необходимо пить в течение одного месяца, а затем через каждый месяц.

Как мы уже отмечали, большая доза витамина В снизит вашу утомляемость. Вы также заметите улучшение крепости ногтей и качества волос. Хром, содержащийся в пивных дрожжах, способствует корректировке гиперинсулинизации.

2. Фрукты и витамин С

Начинайте завтрак с фруктового сока (лимонного, ананасного или даже апельсинового) или с фруктов. Лучше всего съесть киви, в котором содержится в пять раз больше витамина С чем в небольшом апельсине. Если фрукты только что отжаты, немедленно выпейте их сок, т.к. отсрочка ведет к потере витаминов. Не пейте готовый сок, даже если он называется "чисто фруктовый". Содержание в нем витаминов очень незначительно или их вовсе нет.

Независимо от того, какой фрукт был выбран для завтрака, важно съесть его натощак, т.е. на пустой желудок.

В противоположность сложившейся практике, никогда нельзя есть фрукты в конце еды, поскольку им нужно мало времени для переваривания (около 15 минут). Когда вы едите фрукты, то они поступают в желудок, но не задерживаются там. Оттуда они направляются в малый кишечник, где хорошо перевариваются и абсорбируются. Если вы съели фрукты в конце еды, то они проходят в желудок, в котором находится съеденная пища. Для ее переваривания необходимо от двух до трех часов (рыбы, мяса, жиров).

Таким образом, фрукты оказываются заперты в горячей и влажной среде, что приводит к их ферментации и расстройству процесса пищеварения предыдущей пищи с одновременной потерей витаминов.

Именно поэтому необходимо отказаться от привычки есть фрукты в конце еды и завтрак начинать с них. Мы рекомендуем вам подождать пятнадцать — двадцать минут после принятия фруктов, чтобы они смогли спуститься в малый кишечник и были бы избавлены от опасности оказаться запертыми в желудке, когда туда поступит другая пища.

Приготовленные фрукты перевариваются лучше, особенно джемы, приготовленные без сахара, поскольку они содержат меньше витамина С.

Различные виды завтрака

Несомненно, что основная цель первого периода — это потеря избыточного веса. Среди других целей очень важной является восстановление нормальной деятельности поджелудочной железы. Нарушение ее функции связано с избыточным производством инсулина из-за чрезмерного употребления продуктов с очень высоким гликемическим индексом.

Мы продемонстрировали, что завтрак, состоящий из белого хлеба, сахара, меда или джема является основной причиной внезапной усталости в конце утра. Бедная поджелудочная железа, которой злоупотребляли многие годы, нуждается в восстановлении нормальной деятельности и потере сверхчувствительности, вызывающей склонность к гиперинсулинизации.

Поэтому необходимо время для возвращения ее к нормальному состоянию. Эти рассуждения были учтены в предлагаемых вам вариантах завтрака.

1. Углеводный завтрак

Это завтрак, который может быть составлен по вашему выбору из перечисленных ниже продуктов. Важно, чтобы он включал:

Хорошие углеводы

—хлеб грубого помола,
—цельные каши без сахара,
—джемы без сахара и джемы.

Молочные продукты

— обезжиренный творог с 0 % содержания жиров или обезжиренный йогурт.

Напитки

—обезжиренное молоко,
—декофеинизированный кофе,

—слабый чай,

—цикорий,

—соевый сок.

Исключены все виды жиров (масло, маргарины) и продукты из цельного молока.

a. Хорошие углеводы

Хлеб грубого помола

Для баланса диеты мы советуем вам не употреблять хлеб (за исключением редких случаев) в течение двух других последующих приемов пищи. Однако, во время завтрака его можно употреблять без ограничений. Хлеб, разумеется, не должен быть обычным хлебом. Он должен быть сделан из муки грубого помола, т.е. содержать все необходимые компоненты пшеничных злаков. Не путайте его с таким видом хлеба, как солодовый хлеб и различными сортами "коричневого" хлеба. Вам может показаться, что "коричневый хлеб" годится, но мука, из которой он сделан, не является мукой "грубого" помола.

Хотя он и содержит большинство компонентов пшеничных злаков, но некоторые их них отсутствуют и трудно выяснить какие из них.

Вы можете думать, что различные "злаковые" разновидности хлеба полностью сделаны из цельной муки грубого помола. Однако, обычно, они сделаны из белой муки с добавками злаков. Как раз это придает ему привлекательность и способствует большему производству. Не всегда легко найти хлеб, действительно сделанный из пшеничной муки грубого помола. Подобным образом, хлеб из отрубей, в действительности, является белым хлебом, в который кондитеры добавили отруби.

В каком соотношении это необходимо делать? Обычно, кондитеры не любят добавлять много отрубей. Было бы хорошо, если бы содержание отрубей составляло не менее 20 %. И хотя содержание клетчатки в таком хлебе является достаточным для снижения гликемии, но в

нем недостает различных витаминов и минеральных солей.

Если вы не можете найти настоящий хлеб грубого помола у вашего кондитера, не удивляйтесь, поскольку такой
хлеб не часто встречается. Лучшим способом приобретения
такого хлеба является заказ по почте. Он продается подсушенным и сухим, и может храниться несколько месяцев. Он
дешевле чем обычный хлеб и выдерживает конкуренцию,
т.к. сделан из дрожжей и экологически чистой муки*.

Как вы намереваетесь использовать хлеб из муки грубого
помола? В зависимости от вашего вкуса для этого имеются
разные возможности. Его можно употреблять с полностью
обезжиренным творогом или джемом без сахара, или и с тем
и с другим вместе.

Джемы без сахара не имеют ничего общего с джемами с
пониженным содержанием сахара, в отношении которых вы
должны быть предельно осторожны, т.к. в лучшем варианте
они содержат на 10 % — 15 % сахара меньше чем обычные.
Это означает, что вместо 55 % сахара они содержат 45 %.
Джемы без сахара на 100 % состоят из фруктов (приготовленных в собственном соку), 0 % сахара и пектина (растворимой клетчатки). Во Франции вы можете заказать их по
почте или в специализированных магазинах. Помните, что
когда вы выбираете обезжиренный творог (с джемом или
без него), важно, чтобы содержание жира составляло 0%.

Блюда из злаковых

Ежедневно употребляемое слово cerials или еда из злаковых означает разновидность сухой еды, которую, обычно,
употребляют во время завтрака, в особенности дети, и которая состоит из кукурузных или пшеничных хлопьев или
из воздушного риса.

---

*В России можно рекомендовать большинство серых и ржаных сор-
тов хлеба, или таких, как докторский, барвихинский и др. Сейчас появилось много сортов белого хлеба по американским рецептам, которые следует избегать

Тем, кто вырос в Америке, следует забыть свое благородное происхождение, и исключить все эти продукты в течение первого периода похудания. Все эти продукты изобилуют сахаром, покрыты карамелью или в них добавлен мед или шоколад. Еда, которую мы рекомендуем и которая поступает в виде хлопьев, должна содержать настоящие злаковые, экологически чистые. Она не должна содержать ни сахара, ни других добавок.

Мюсли, содержащие грецкие орехи, фундук и миндаль или сухие фрукты, вполне пригодны, если вы намереваетесь потерять несколько килограмм. Те, кто хотят потерять больше (более 20 кг) должны подождать до перехода ко Второму периоду.

Мюсли можно смешивать с полностью обезжиренным творогом или с йогуртом. Возможно разведение их горячим или холодным молоком (разумеется обезжиренным).

Необходимо медленно жевать эти хлопья, обильно смачивая их слюной, чтобы способствовать лучшему перевариванию. В идеале, вы должны смолоть их сами в соответствующем оборудовании. Максимальное количество витаминов может быть получено только из свежеразмельченных или намолотых злаков.

Возможен также завтрак из фруктов, если вы находитесь в отпуске или экзотическом месте. В этом случае рекомендуется добавить хотя бы обезжиренное молоко, чтобы обеспечить достаточное поступление в организм белков и кальция.

б. Напитки

Обильное питье так же необходимо, как и необходим завтрак. После сна, по утрам, ваш организм нуждается в восстановлении запасов жидкости.

Кофе

Было бы предпочтительно, если бы вы отказались от привычки к кофеину (хотя бы в период Фазы 1), поскольку некоторые люди подвержены воздействию кофеина на стимуляцию выделения инсулина, в случае плохого состояния поджелудочной железы. Некоторые авторы, однако, полагают, что кофе обладает свойством способствовать растворению жира. О кофе много было сказано, и подчас мнения прямо противоположные. Разрешите и мне высказаться по этому поводу.

Верно, что в прошлом процесс декофеинизации (извлечения кофеина) был значительно более токсичен чем сам кофеин. Но это было в прошлом. Можно употреблять декофеинизированный кофе, т.к. теперь он действительно хорошего качества, по крайней мере, во Франции, где его можно купить в любом кафе. Мы рекомендуем употреблять декофеинизированный кофе или, что значительно полезнее, его смесь с цикорием. Если вам нравится пить кофе с молоком, пейте.

Идея, что молоко — это яд, не имеет под собой никакой почвы, тем не менее некоторые люди его избегают. Это скорее связано с индивидуальной чувствительностью. Иногда эта чувствительность связана в дефиците ферментов, который мешает им переваривать молоко. Смесь молока с кофе для людей с повышенной чувствительностью менее полезна, поскольку кофе изменяет структуру молока.

Чай

Хотя чай содержит некоторое количество кофеина, его можно употреблять таким, каким он продается, но не крепко заваренным.

Чай обладает специфическим мочегонным действием и некоторые жители Азии утверждают, что определенные сорта китайского чая способствуют потере веса, но научных доказательств этого утверждения нет.

Молоко

Предпочтительно употреблять обезжиренное молоко, т.к. взрослые плохо переваривают цельное молоко и в нем содержится слишком много плохих насыщенных жиров.

Лучше всего употреблять порошковое снятое молоко и вы можете делать его достаточно концентрированным, не сильно разбавляя водой.

в. Искусственные заменители сахара

Вам должно быть ясно, что вы должны забыть о белом рафинированном сахаре. Но кроме сахара остаются незамеченными другие продукты с привкусом сахара, и вы должны бесповоротно потерять привычку к их употреблению.

Поэтому, если трудно от этого отказаться окончательно, постарайтесь, по крайней мере, привыкнуть употреблять их значительно меньше. Кому-то принадлежит афоризм: "Сахар — это то, что придает плохой вкус кофе, если оно с сахаром".

Однако, все те, кто распрощались с питьем кофе с сахаром, ни за что на свете не вернутся к прежним привычкам назад.

Чтобы снизить потребление сахара, вы можете использовать его искусственные заменители.

Много было сказано, и часто противоречивого, на эту тему. Финансовые битвы за эти продукты необъятны. Защитники (производители заменителей сахара) и оппоненты (производители рафинированного сахара) соревнуются в проведении исследований, доказывающих их положительное или отрицательное воздействие. Похоже, что те и другие пришли к выводу, что заменители не причиняют ущерб организму.

Однако, если заменители сахара не являются токсичными, то никто еще не выяснил их воздействие при употреблении в течение длительного времени. Точно такая же проблема возникает при применении всех химических добавок в продукты питания. Кто уверен, что многолетнее их использование не окажет воздействия на организм?

Наши рекомендации — использовать их, если вы не можете без них обойтись, как можно реже. Их нужно принимать только в переходный период и в будущем вы должны от них отказаться или использовать чрезвычайно редко (с очень большими временными интервалами).

Недавние исследования, выполненные во Франции и США, показали, что некоторые заменители, не являясь токсичными, имеют тенденцию дестабилизировать обмен веществ в течение длительного времени, нарушая гликемический индекс при последующем приеме пищи.

Употребляемые в процессе еды заменители сахара не изменяют гликемию и не ведут к опасности выделения инсулина. Однако, если последующие блюда содержат углеводы, гликеминовая кривая демонстрирует опасность аномального роста, даже если эти углеводы имели низкий гликемический индекс.

Поскольку принимаемая в Фазе 1 пища является либо белково-липидной (жиры) либо белково-глюцидной, то вероятность опасности чрезвычайно ограничена.

Значительно выше опасность в Фазе 2, но мы поговорим об этом позже. Сначала пользуйтесь преимуществами Фазы 1. Я тоже был сластеной. Фруктозу, достоинства которой неоднократно восхвалялись, поскольку она не вызывает раковые заболевания и имеет низкий гликемический индекс, мы рекомендуем, в основном, использовать для приготовления десерта. Ее, однако, винят в стимулировании увеличения уровня триглицеридов. Это может произойти с теми, в организме которых есть серьезные проблемы с триглицеридами, и только тогда, когда фруктозу употребляют в количестве более 100 г в день, что значительно превышает все нормы.

Если вы последуете принципам Метода (о чем мы расскажем ниже), то это приведет к очень значительному снижению триглицеридов, и фруктозу можно будет использовать изредка для приготовления булочек (выпечки).

2. Спасительный белково-липидный завтрак

Другим вариантом завтрака является формула, состоящая из мясных и свиных продуктов (бекон, ветчина, колбасы, яйца, сыры и т.д.). Это более или менее Англо-

Саксонский завтрак с одним важным отличием: углеводы, включая хорошие (никакого хлеба) полностью исключены.

Другое предостережение: предлагаемые типы завтрака содержат продукты со значительным количеством насыщенных кислот и те из вас, кто страдают избытком холестерина, должны от них отказаться.

Если вы используете рекомендованный вид завтрака, то полезнее ужинать без продуктов, содержащих липиды, придерживаясь хороших углеводов и употреблять фрукты во время чая.

Завтраки такого типа легко получить в любой гостинице и традиционные утренние завтраки предоставляют огромные возможности для выбора. В отношении напитков следует придерживаться рекомендаций, изложенных для углеводной формулы завтрака.

Углеводный завтрак

Рекомендовано	Допустимо	Запрещено
свежий фруктовый сок фрукт (съеденный за 15 минут до завтрака) сырые злаковые без сахара джем без сахара полностью (0% жира) обезжиренный творог полностью (0% жира) обезжиренный йогурт порошковое разведенное молоко декофеинизированный кофе цикорий	хлеб из муки грубого помола, серый хлеб хлеб с отрубями мюсли ржаной хлеб хрустящий хлеб с высоким содержанием клетчатки немецкий черный хлеб шведские хрустящие хлебцы из муки грубого помола вареные фрукты без сахара свежее обезжиренное молоко чай цикорий	белый хлеб подсушенный обезвоженный хлеб круасон (французская булочка) бриошь булочка на молоке шоколадная булочка пористый тип кекса джем мед творог цельное или полуобезжиренное молоко обычный кофе шоколадный напиток

Белково-липидный завтрак

Рекомендовано	Допустимо	Запрещено
яичница	фруктовый сок (за	белый хлеб
яйца, сваренные	15 минут до еды)	хлеб из муки
вкрутую	цельное молоко	грубого помола
яичница-глазунья	кофе с цикорием	круосан
омлет	чай	булочки на молоке
бекон		шоколадные булочки
колбасные изделия		джем
вареная ветчина		мед
сыры		мюсли
обезжиренное моло-		обычный кофе
ко или полуобезжи-		шоколадный напиток
ренное		фрукты
декофеинизирован-		
ный кофе		
цикорий		

В этот завтрак должны быть включены продукты из обезжиренного молока (молоко, обезжиренный творог, йогурт).

Второй завтрак

Если вы привыкли что-нибудь пожевать в течение утра, то, очевидно, у вас небольшая гипогликемия. Следуя рекомендациям, изложенным в этой главе, вы привыкнете иметь менее гипергликеминовый завтрак, и вскоре отвыкнете от необходимости отправить что-либо в свой желудок около одиннадцати часов утра.

Однако, если вы привыкли что-нибудь есть во время перерыва на кофе, то съешьте какой-либо фрукт, например, яблоко, или несколько орехов, миндальных, грецких или фундук. Можете съесть кусочек сыра (лучше обезжиренного). Вы легко сможете приспособиться иметь при себе немножко сыра, не испускающего неприятный запах. Приемлемы также сваренные вкрутую яйца.

Фруктовые завтраки

Рекомендуется	Допускается	Запрещено
апельсины	виноград	бананы
мандарины	черешня	консервированные
грейпфруты	фундук	фрукты
киви	чернослив	кристаллизирован-
яблоки	финики	ные фрукты
груши	сушеные фрукты	
манго		
клубника		
черника		
инжир		
абрикосы		
нектарины		
сливы		

Обед

Обед должен соответствовать глобальной задаче Фазы 1, цель которой не нагружать сильно поджелудочную железу.

Количество съедаемых продуктов так же, как и за завтраком, не ограничено. Он должен быть достаточным, чтобы наполнить ваш желудок.

Обед, обычно, включает
— закуску;
— основное блюдо с хорошими углеводами (с очень низким гликемическим индексом, например, зеленые овощи);
— сыр или йогурт.
Никакого хлеба.

1. Закуски

Это могут быть сырые овощи, мясо, рыба, яйца, морепродукты или моллюски.

а. Сырые овощи

Вы всегда должны начинать с такой закуски. Сырые овощи всегда содержат достаточное количество клетчатки и хорошо наполняют желудок. Они содержат минеральные соли и витамины, которые лучше всего воспринимаются, если они не сварены. Из овощей мы рекомендуем:
— помидоры,
— огурцы,
— грибы,
— зеленую фасоль,
— лук-порей,
— капусту (красную или белокочанную),
— цветную капусту,
— авокадо,
— брокколи,
— артишоки,
— сладкие маринованные огурчики,
— редис.

В зеленые салаты могут быть включены:
— обычный салат,
— цикорий,
— овечий салат,
— листья одуванчиков,
— листья горького салата,
— листья кресс-салата.
Сырые овощи могут быть заправлены уксусом, растительным маслом, солью, перцем и допускается использование горчицы.

Рекомендуется как можно чаще употреблять оливковое масло, поскольку оно хорошо предупреждает опасность возникновения сердечно-сосудистых заболеваний. Сельдерей можно тереть на терке и смешивать с майонезом.

Подобным образом можно заправлять огурцы. Рекомендуется также использовать сильно обезжиренные сливки или обезжиренный творог.

Естественно, что готовые майонезы и заправки полностью запрещены, поскольку они содержат сахар и другие нежелательные добавки, типа крахмала и муки в различных вариантах.

Из сырых овощей, которые часто предлагаются в кафе и ресторанах, в Фазе 1 запрещены следующие:
— картофель,
— кукуруза,
— рис,
— жемчужный ячмень,
— чечевица (ее вы сможете употреблять в Фазе 2),
— сухие бобы (их вы можете употреблять в Фазе 2).

В салат вы можете добавлять грецкие орехи, миндаль, фундук и кедровые орехи, но абсолютно недопустимы сухарики.

б. Рыба

Никогда не упускайте шанс поесть рыбу. Вы, очевидно, уже усвоили из предыдущих глав, что чем жирнее рыба (сардины, селедка, кета), тем лучше она действует на снижение холестерина, триглицеридов и защищает ваши сосуды.

Не колеблясь выбирайте кету, особенно маринованную в оливковом масле. Когда вы сидите в ресторане, она является идеальной закуской.

Я напоминаю вам какие виды рыбы и моллюсков рекомендуются в качестве закуски:
— сардины (приготовленные на гриле или с оливковым маслом),
— макрель,
— селедка (но без картофеля),
— анчоусы,
— тунец,
— креветки,
— гребешки,

— лобстеры и раки,

— крабы,

— икра или другие морепродукты.

Если вы хотите похудеть, то следует избегать в Фазе 1 лангустов и устриц, поскольку в них содержится много углеводов. Вы сможете употреблять их, когда перейдете к Фазе 2.

Очевидно, что весьма желательны рыбные и мясные паштеты, разумеется если они "приготовлены дома".

Ни в коем случае нельзя употреблять паштеты, произведенные в промышленном масштабе пищевой индустрией, как это, к сожалению, все чаще и чаще случается.

Когда паштеты производятся в промышленном масштабе, они полны различных добавок: связывающих веществ, основанных на муке или крахмале, сахара во всех его видах (сироп глюкозы и другие полидекстрозы) и неизбежно добавление глютамина натрия, который придает "неповторимый вкус".

Приучите себя придирчиво рассматривать, что вы покупаете, изучая состав продуктов на этикетке. Чем больше вы проникнитесь важностью этой проблемы, тем больше вы будете обращать на это внимание.

в. Продукты из свинины

Важно медленно изучить, какие продукты из свинины вам предлагаются и быть несколько осторожными в их выборе. Во-первых, они содержат значительное количество насыщенных жиров (в зависимости от того из какой части сделаны продукты и каков был их способ приготовления). Поскольку эти продукты предлагаются через сеть распространителей, то они напичканы различными добавками (нитратами). По прежде всего помните, что они сделаны из мяса сомнительного качества, обычно свинина поставляется с ферм, не имеющих хорошей репутации.

Ограничьте употребление свинины и всегда проверяйте ее качество. Несколько лет назад традиционные французские семьи, которые не забыли полностью свои крестьянские корни и происхождение, придерживались обычая "от-кармливания свиньи". Обычно они это делали пополам с крестьянином. Они покупали двух маленьких молочных поросят и отдавали их фермеру. Последний откармливал их традиционным способом и когда они вырастали, один из поросят возвращался семье. Все, что семье оставалось сделать — это "приготовить свинью". В любой французской деревне священник или полицейский помогут найти людей, которые придут к вам домой или к вашим друзьям, чтобы разделать свинью и приготовить для вас кровяную колбасу, паштет, котлеты, ногу или лопатку или ветчину. Вам останется только положить эти продукты в холодильник в вашей городской квартире.

Это бесспорно лучше для вашего здоровья и здоровья всей семьи, и обойдется дешевле чем купить свинину в супермаркете. Такие ужины "со свининой" являются уникальной возможностью возобновить контакты с природой прощальным салютом вашим корням.

г. Яйца

Яйца, если они свежие и прибыли с настоящей фермы, обычно имеют желтый цвет, слегка напоминающий медь. Они исключительно полезны по своему питательному составу и богаты витаминами (A, D, K, E, B8, D9, B12), количественный состав которых соответствует их качеству.

Яйца содержат насыщенные жиры, но они не ассимилируются с организмом из-за присутствия лецитина.

Лецитин снижает опасность сердечно-сосудистых заболеваний, даже если вы страдаете повышенным содержанием холестирина. Яйца можно употреблять в качестве различных закусок: сваренные вкрутую, яйца с майонезом, омлет, жареные яйца и т.д.

д. Другие возможные варианты закусок

В зависимости от вашего вкуса и воображения или, по крайней мере, от повара в ресторане, многие, перечисленные выше продукты, могут быть смешаны вместе в салате или блюдах ассорти (например, блюдо с различными колбасами типа салями или разновидностями свинины).

Когда вы едите в ресторане, то прежде чем заказать закуску, расспросите официанта или метрдотеля, из чего она состоит. Если вы этого не сделаете, то можете получить закуску, включающую рис, кукурузу или сухарики, смешанные со всем остальным.

Будьте особенно бдительны, заказывая салат с беконом, т.к. бекон меньшее зло по сравнению с сухариками, которые являются составной частью такого салата. Среди других возможных закусок следует упомянуть сыр, чаще разогретый овечий сыр, подаваемый вместе с салатом. Настаивайте, чтобы эта закуска была подана без подсушенного хлеба.

Мы не рекомендуем вам выбирать в качестве закуски паштет из гусиной печенки. Хотя ее питательный состав не до конца изучен, мы относимся к ее употреблению в Фазе 1 с некоторой настороженностью. Известно, что в ней содержится значительное количество моно-ненасыщенных жиров, которое оказывает защитное воздействие на сердечно- сосудистую систему.

Гусиный паштет — это смесь углеводов и липидов. Вот почему мы не рекомендуем его в течение Фазы 1, особенно тем, кто хочет значительно снизить вес. Обычно такой паштет подается вместе с подсушенным хлебом, употребление которого тоже запрещено в Фазе 1.

е. Запрещенные закуски

Многие думают, что все, что не указано, разрешено. Это заблуждение! Имеется такое богатое разнообразие продуктов, что если бы мы их перечисляли, наш лист был бы бесконечен. Вы знаете теперь основные правила подхода к выбору продуктов и вам легко будет определить какие продукты (например, экзотические) приемлемы или нет. В большинстве случаев вы должны их выбирать по аналогии.

Эти же принципы следует применять к тому, что должно быть исключено. Вы легко сможете решить, что вам можно съесть, когда увидите что-то неизвестное в меню или на вашей тарелке.

Тем не менее, ниже приводится список большинства из них:

— блюда, содержащие выпечку или пироги
— суфле, сделанное из белой муки тонкого помола
— макаронные изделия из белой муки тонкого помола
— белый рис (особенно не клейкий)
— очищенная манная крупа
— все, что сделано из картофеля.

2. Основное блюдо

Обычно, основное блюдо во время обеда приготовлено из мяса, дичи или рыбы и сопровождается овощами, которые перечислены в списке очень хороших углеводов, имеющих гликемический индекс ниже 15. К ним принадлежит большинство овощей с высоким содержанием клетчатки.

а. Мясо

Выберите рыбу, если есть возможность выбора. Но если такой возможности нет, то из мясных блюд выбирайте менее жирные, чтобы сократить количество потребляемых насыщенных жиров.

Говядина, ягненок, баранина и свинина довольно жирные продукты (менее жирной является телятина). С этой точки зрения птица значительно лучше. Даже утка имеет значительно более низкое содержание насыщенных жиров и более высокое содержание ненасыщенных жиров (хороших жиров), что является достоинством любой дичи.

Конечно, вы должны быть особенно осторожны с тушеным мясом. Такое мясо, обычно, подается плавающим в соусе, в который в качестве связывающего элемента добавлена мука. Будьте осторожны с отбивными из телятины, т.к. часто их приготавливают, обваливая в хлебной крошке, употребление которой не соответствует нашим принципам.

б. Рыба

Вы можете употреблять любую рыбу без всяких ограничений за исключением одного — она не должна быть обвалена в муке или хлебной крошке. Каждый раз, когда вы выбираете рыбу в ресторане, спрашивайте о способе ее приготовления. Есть можно только рыбу, сваренную или приготовленную на гриле.

С осторожностью выбирайте рыбные подливы. Лучшие из них представляют смесь лимонного сока и высококачественного оливкого масла, которое очень богато витаминами, о чем вы уже знаете.

Свежесть является лучшей гарантией замороженной рыбы, которую вы употребляете дома. Купите филе хека или трески и приготовьте их или в бульоне с различными травами, или на очень маленьком огне в закрытой сковородке, на которую вы чуть капнете оливкового масла.

в. Гарниры

У вас должно стать второй натурой инстинктивно спрашивать, прежде чем вы закажете блюдо в ресторане: "Какой гарнир подается к этому блюду?".

В девяти случаях из десяти официант, желая вас обрадовать, ответит: "Чипсы или жареный картофель". Если вы попросите что-либо другое, он ответит: "Различные макаронные изделия (пасты)". В таких случаях меня охватывает жгучее желание помчаться на кухню и швырнуть в голову шеф-повара все кастрюли с содержащимися в них плохими углеводами, чтобы наказать его за отсутствие изобретательности.

Я никогда не делал этого не только потому, что хорошо воспитан, но и потому, что знаю, что плохие поступки не остаются безнаказанными. Обычно, мне печально отвечают: "Зачем готовить что-либо другое, если 80 % наших клиентов не хотят ничего, кроме вездесущей картошки, макаронных изделий или риса". Некоторые из лучших шеф-поваров умудряются, подобно худшим школьным поварам, пригласить нас в свое святилище после недели ожидания и стряпать некоторую разновидность пюре по старому рецепту. При этом им все еще удается вызывать восхищение у лучших знатоков.

Невозможно требовать от местных точек питания пищей типа "Макдональдс" (fast food), чтобы они не отказывались от картофеля. Но не является ли издевательством присуствие блюд из картофеля в лучших гастрономических меню по цене трюфелей! Образцов непоследовательности в различных меню предостаточно. Когда вы в первый раз прилетаете в Гваделупу, то вы ожидаете, что вам предложат в ресторане разнообразный выбор экзотических овощей, описанных во всех книгах по ботанике. В действительности ничего подобного не произойдет. Этот остров мечты, который действительно выглядит как оазис и мог бы поставлять удивительные тропические овощи всему свету, ничего не производит. Их блюда приготовлены из картошки и риса, которые они, конечно, импортируют.

В то же самое время я был чрезвычайно удивлен, узнав, что Креольский рис, который является символом местной кулинарии в этой стране, никогда здесь не производился и был завезен индейцами, которые прибыли в качестве замены черных рабов в период освобождения.

Поэтому, когда вы едите в ресторане, просите, чтобы вам принесли что-то отличное от других. Если вы будете чуть-чуть настойчивее, то вы с удивлением заметите, что всегда можно получить зеленые бобы, шпинат, цветную капусту или брокколи.

Если вы не можете получить ничего из этих овощей, возьмите салат и пусть будет стыдно тому, кто вас пригласил.

Ниже приводится список овощей, которые мы рекомендуем в Фазе 1:

— цукини,
— баклажаны,
— помидоры,
— брокколи,
— шпинат,
— репа,
— артишоки,
— перец,
— укроп,
— сельдерей,
— щавель,
— зеленые бобы,

— грибы,
— капуста,
— цветная капуста,
— квашеная капуста,
— брюссельская капуста.

Но этот список, разумеется, не исчерпывающий.

3. Сыр или десерт?

В Фазе 1 вы часто будете употреблять сыр. Вы будете возражать, что трудно есть сыр без хлеба или бисквита. В действительности это также просто, как не пить кофе с сахаром. Как только вам это удастся, вы будете удивляться, почему не делали этого раньше. Есть маленькая хитрость, которая вам облегчит этот переход — есть сыр вместе с салатом. Другая возможность для замены хлеба — употреблять вместе твердый сыр и мягкий.

Все (включая женщин), кто действительно хотят потерять вес, должны знать, что не рекомендуется есть большие порции обезжиренного творога и мягкого сыра, даже если они обезжирены на 100 % (0 % жира).

Поскольку в их жидкости содержится достаточно большое количество углеводов (галактозы), а вы съели большую порцию, то в конце еды уровень выделенного инсулина опять поднимется и снова возникнет опасность накопления жиров из пищи, съеденной ранее.

Порция в 80–100 г является максимальной. Как можно чаще вам следует выбирать обезжиренный творог, поскольку при приготовлении он был откинут на дуршлаг (и содержит меньше жидкости). Избегайте эти продукты во взбитом виде.

Забудьте о десерте за редким исключением в течение Фазы 1. Непохоже, что вам подадут десерт без сахара или фруктозы. Дома вы можете позволить взбитые яйца (гоголь-моголь), но будьте осторожны и помните наши предыдущие рекомендации.

Обед, который легко носить с собой

Могут возникнуть различные причины, из-за которых у вас нет времени на обед. Прежде вы легко обходились бутербродами (сэндвичами), но в Фазе 1 они запрещены. У вас будет возможность иногда вернуться к ним снова в Фазе 2 при условии, что хлеб будет сделан из муки грубого помола.

Мы уже говорили о том, как важно никогда не пропускать еду. Поэтому мы предлагаем вам найти наиболее легкий способ подкрепиться во время обеда! Есть несколько вариантов решения этой проблемы.

1. Ешьте фрукты

Приемлемы любые фрукты за исключением бананов, т.к. в них слишком много углеводов (гликемический индекс около 60).

Можете съесть три — четыре яблока или заменить их апельсинами.

Можно съесть два яблока и 200 г орехов (грецкие, фундук или миндаль, их легко купить очищенными). К этому можно добавить два йогурта.

2. Ешьте сыр

Любой сыр приемлем, если он содержит как можно меньше жиров (иначе он вам скоро надоест) и не издает неприятного запаха. Не забывайте об этом, если вам прийдется обедать у себя в офисе.

Время от времени ваш обед может состоять из 250 г обезжиренного творога, в небольшой картонной коробочке, и небольшого количества ягод черники. В этом случае мы не придерживаемся правила есть фрукты только на пустой желудок.

Фрукты могут вызвать небольшую опасность ферментации в желудке. Мягкие сыры приемлемы в конце еды. Подробнее эти сыры мы обсудим в главах о Фазе 2.

Иногда вы можете съесть два — три яйца, сваренных вкрутую. Употребляйте их с нарезанным помидором без всякой заправки. После такого приема пищи вы не будете чувствовать переполнение в желудке.

3. Хлеб

Один из основных принципов, к которому надо относиться с уважением, состоит в отказе от хлеба во время обеда и ужина. Может быть, вы полагаете, что мы могли бы быть менее догматичными и запретить только белый хлеб?

Может быть. Вы думаете, что вы найдете в ресторане хлеб из муки грубого помола? Шанс такой удачи очень незначителен.

И снова, позволив себе белый хлеб, вы создадите дискомфорт в желудке, почувствуете тяжесть и поспособствуете появлению хорошо знакомого желания поспать после еды.

Целью фазы 1 является как можно более низкое стимулирование поджелудочной железы. При белково - липидном приеме пищи происходит пониженное выделение инсулина. Даже если такое выделение недостаточно для накопления жира, то оно может послужить тормозом для потери веса. Быть может, вы и не поправитесь, но худее, определенно, не станете.

4. Вино

Мы советуем вам не есть хлеб и не пить вино во время Фазы 1, т.к. вы хотите сильно похудеть. Если вам не нужно сильно худеть, то вы можете позволить половину бокала вина в конце еды, в частности, с сыром.

В Фазе 2 мы вернемся к этому вопросу назад и поговорим, как можно пить вино и о плохих привычках, которые вы должны забыть.

Будет значительно лучше, если вы будете пить воду или чай в течение Фазы 1. Многие англичане пьют чай во время еды и получают от этого удовольствие и ощущают его благотворное воздействие.

Чай действительно обладает некоторыми пищеварительными свойствами, как впрочем и все другие горячие напитки. Поэтому, вы должны без колебаний пить чай из трав (без сахара) во время приема пищи.Нет никаких отрицательных воздействий — наоборот, только положительные.

Ужин

Ужин, как мы уж упоминали раньше, должен быть самой легкой едой из всех приемов пищи в течении дня. К сожалению, по ряду профессиональных и социальных причин, ужин часто оказывается предлогом для пиршества дома или вне его (в ресторане, у друзей).

Легко изменять ваши привычки дома. Поскольку завтрак у вас значительно более существенный, чем раньше, и вы обедаете, то ужин не должен быть обильным, каким он был раньше.

Те же рекомендации по составу продуктов питания, которые мы предлагали в отношении обеда, должны быть применены и в отношении ужина. Следите за предельным количеством жиров и избегайте мяса, если вы уже брали его на обед.

Если вы ужинаете дома, то начните с доброго старого овощного супа: из лука-порея, сельдерея, репы, капусты (никакого картофеля) и затем съешьте небольшой омлет с зеленым салатом.

Ужин — это время вернуться к старым забытым традициям, возвращение к некоторым видам бобов, которые теперь употребляются редко, вроде чечевицы, фасоли и гороха.

Полезно два-три раза в неделю иметь углеводно-белковый ужин, что значит, что большинство углеводов должны иметь низкий или очень низкий гликемический индекс. Блюда должны быть приготовлены и съедены без всякого жира — это правило, которое должно соблюдаться всегда в течение Фазы 1.

Вы можете начать ужин с хорошего вегетарианского супа (без картофеля и моркови) или протертого супа из грибов или помидоров, разумеется без жира. Чечевица, бобы и горох могут быть смешаны с луком, процеженными помидорами или с грибным соусом супа.

Белково-липидная пища, Фаза 1
С очень низким гликемическим индексом углеводов

Закуски			
Сырые овощи	Рыба	Продукты из свинины	Другие
Рекомендованы			
аспарагус	копченая кета	салями	моцарелла
помидоры	маринованная	ветчина	подогретый
огурцы	кета	колбасные изделия	овечий
артишоки	сардины	сушеная говядина	сыр
перец	макрель	салат с беконом	телятина
сельдерей	анчоусы	паштеты	лягушачьи лапки
грибы	тунец		омлет
зеленые бобы	печень трески		сваренные вкрутую
лук-порей	креветки		яйца
капуста	лангусты		яичница
цветная капуста	лобстеры		яйца в желе
сладкие марино-	икра		рыбный суп
ванные огурчики	гребешки		
авокадо	крабы		
пророщенные	кальмары		
бобы	осминог		
салат	устрицы		
салат цикория			
козий салат			
одуванчики			
листья цикория			
ватер-кресс			
салат			
брокколи			
редис			
редис			
Запрещено	Избегать	Избегать	Вне закона
свекла	лангусты		выпечка
кукуруза	устрицы		блины
рис			суфле
чечевица			блинчики
сухие бобы			подсушеный хлеб
картофель			пицца
			жареные пирожки
			сыр фондю

Другой вариант ужина — макаронные изделия из муки грубого помола вместе с коричневым рисом или манной крупой. Вы можете разнообразить их, подавая вместе с овощами и нежирным соусом. Такая пища обладает рядом премуществ в связи с содержанием в овощах белков, клетчатки, витамина B и многих минеральных солей.

Белково-липидная пища, Фаза 1
Углеводы с очень низким гликемическим индексом

Рекомендованы	Основное блюдо			
	Рыба	Мясо	Птица	Свинина, дичь, потроха
	кета макрель тунец сардины селедка окунь треска камбала судак карп щука лещ форель в целом, любая морская и пресноводная рыба	говядина телятина свинина баранина ягненок	цыплята курица индейка гусь утка перепелка фазан голубь кролик	заяц дикий кролик оленина кабан ветчина говяжье сердце говяжий язык телятина почки поросячьи ножки
Вне закона	Избегать	Избегать		Избегать
рыба, обваленная в хлебных крошках	жирные части	кожу		печенку

На десерт после углеводного ужина вы можете выбрать только обезжиренный творог, йогурт (возможно с приготовленным без сахара джемом) или сваренные фрукты. Вы можете съесть немножко хлеба из муки грубого помола, но это может принести чувство переполнения.

Также как и во время обеда, рекомендуемые напитки в течении ужина в Фазе 1 — это вода, слабый чай или чай из трав. Иногда вы можете позволить бокал красного вина.

Если у вас был обильный обед (например, бизнес-обед) и вы хотите легко поужинать вечером, вы можете съесть фрукты и йогурт, или мюсли и продукты из обезжиренного молока.

Белково-липидные блюда, Фаза 1.
Углеводы с очень низким гликемическим индексом

Гарниры	
Рекомендованы	Запрещены
зеленые бобы	кус-кус
брокколи	чечевица
баклажаны	сухие бобы
шпинат	горошек
грибы	каштаны
цукини	картофель
сельдерей	морковь
репа	рис
лук-порей	макаронные изделия
помидоры	свекла
лук	
перец	
цветная капуста	
капуста	
кислая капуста	
зеленый салат	
мусс из овощей (без картофеля)	
артишоки	

Белково-углеводные блюда, богатые клетчаткой, Фаза 1

	Закуски	Основное блюдо	Десерт
Хорошие углеводы, из которых следует выбирать	вегетарианский суп протертый грибной суп суп из тыквы протертый томатный суп	чечевица сухие бобы горошек фасоль коричневый рис макаронные изделия из грубой муки изделия из грубых частиц муки, оставшихся при ее очистке	обезжиренный творог (0% жира) полностью обезжиренный йогурт (0% жира) компот из фруктов сваренные фрукты джем или джем без сахара
Рекомендовано	без жира, картофеля или моркови	без жира, поданные с соусом из помидоров или с грибным соусом или с овощами в качестве гарнира	без жира и сахара

Приправы, ингредиенты (добавки), специи

Употреблять:			В умеренном количестве	Вне закона
Без ограничений				
разновидность маринованных огурцов, маринованные овощи, мелкий лук, приготовленную дома французскую приправу для салата, порей, греческие маслины, черные маслины, соль сельдерея	масла: оливковое, подсолнечное, земляных орехов, грецких орехов, масло из фундука, из виноградных косточек, лимон, пармезан, желтый твердый сыр	петрушка, таррагон, чеснок, лавровый лист, корица, базилик, лук-порей укроп	горчица, соль, перец, майонез, соус, голландский соус, свежеприготовленный соус из сливок	картофельный крахмал, кукурузная мука, томатный соус, кетчуп, покупной майонез, белый соус, соус, приготовленный с мукой, сахар, карамель, пальмовое масло, парафиновое масло

Специальные советы

1. Будьте осторожны с соусами

Традиционные соусы и другие подливки часто приготавливаются из белой муки. Бойтесь их, как чумы!

Более современные соусы, обычно, состоят из небольшого количества сливок, обычно обезжиренных, добавляемых при размешивании в приготавливаемое блюдо. Таким же образом для приготовления соуса можно использовать обезжиренный творог.

Для приготовления соуса, хорошо сочетаемого с белым мясом, нужно смешать немного обезжиренных сливок или полностью обезжиренного творога с горчицей со специями, немного подогреть и подавать с мясом. Ничего не будет плохого, если вы добавите немного шампиньонов.

Если вы хотите приготовить действительно вкусный соус без муки, то единственное решение этой проблемы — использование грибов. Для этого вам нужен смеситель. Все что вам нужно сделать — это измельчить грибы и добавить жидкость из приготавливаемого блюда. Это лучший способ сделать вкусный, хорошо размешанный соус к тушеному кролику или цыплятам в вине.

2. Любите грибы

Шампиньоны — замечательный продукт как источник клетчатки, так и многих витаминов. Жаль, что в кулинарии Франции они используются значительно меньше, чем за границей. Кроме употребления сырыми в салатах, их можно подавать как отдельное блюдо или в качестве гарнира, который любят все.

Обдайте грибы кипящей водой, дайте им стечь в течение 15 минут. Затем нарежьте их тоненькими полосками и медленно поджарьте в оливковом масле, добавив чеснок и петрушку в последнюю минуту перед подачей на стол.

3. Некоторые заметки по поводу сохранности продуктов питания

Кто вырос в деревне, хорошо помнит, что их мамы и бабушки собирали салат в огороде за несколько минут до начала еды. Также поступали со сбором помидоров, бобов и свежих овощей. В то время полагали, что лучше всего собирать овощи и фрукты в последнюю минуту. Традиции, и прежде всего инстинкты наших предков, не имеющих реальных знаний, ограничивали потерю витаминов, связанную с продолжительным хранением продуктов.

Сегодня продукты не только содержат меньше витаминов, чем ранее из-за индустриализации сельского хозяйства, но и временной интервал между сбором и употреблением овощей значительно увеличился.

Шпинат, выращенный современными методами, что означает высокую продуктивность с гектара земли, содержит от 40 до 50 мг витамина C на 100 г шпината. Несколько дней доставки снижают содержание витамина на 50 %, т.е. до 25 мг. После двух дней хранения в холодильнике, одна треть содержания витамина C будет опять потеряна. Таким образом содержание витамина составит всего 16 мг. Если шпинат сварить, то дополнительно 50 % содержания витамина будет потеряно.

В лучшем случае, шпинат, который будет вам подан, будет содержать 8 мг витамина C.

С другой стороны, если у вас есть огород и вы любите выращивать шпинат, как это делали ваши родители, 100г собранного вами шпината будут содержать не менее 70 мг витамина C. Если вы съедите шпинат в этот же день, то в нем еще будет содержаться 35 мг витамина C. Это значит, что вы получите в четыре раза больше витамина C, чем в предыдущем случае.

Потери витаминов в салате еще более значительны. В течении 15 минут теряется 30 % витаминов, а в течении часа — 48 %. Думаем, что вы будете потрясены, услышав, что салат поданный вам на блюде, был собран давно (от двух до пяти дней назад). Салаты, которые продаются готовыми в пластиковых контейнерах в супермаркетах, не содержат никаких витаминов. Очень часто в них витамины "заменены" высоким содержанием химикатов и, что еще хуже, кишечными палочками.

Многие рестораны ставят себе в заслугу, что рыба и моллюски содержатся живыми в аквариумах и вылавливаются при клиентах перед приготовлением. Неужели нечто подобное нельзя сделать с салатом?

По мнению специалистов, цветная капуста теряет 2 % своих витаминов в течении каждого часа. Если она нарезана, то потеря достигает 18 % в течение каждого часа. Кухонный нож — опасный инструмент, но он не сравним с теркой, которая просто безжалостна. Красная капуста, например, может потерять 62 % витаминов С в течении двух часов.

Терка, в действительности, является орудием пыток для овощей, поскольку увеличивает подвергаемую воздействию поверхность в 200 раз. Красная капуста, сельдерей и редис подвергаются высокоскоростной девитаминизации (потери витаминов). Можно содрогнуться представив себе состояние витаминов в уже приготовленых блюдах, продаваемых в магазинах деликатесов! Пройдите мимо упакованных готовых блюд, лежащих на полках любого маленького супермаркета.

Тоже самое можно сказать обо всех овощах, которые тщательно нарезаны или натерты (за день до продажи или за два) и продаются в школьных буфетах, организациях или в больницах.

4. Готовьте пищу обдуманно

Процесс приготовления пищи — враг витаминов. В противоположность распространенному мнению, потеря витаминов в большей степени зависит от времени готовки, а не температуры. Пассировка (при температуре 65 градусов С) разрушает 90 % витамина С в шпинате. Однако, при температуре 95 градусов С теряется только 18 % витамина С. Поэтому приготовленная еда хранится лучше, чем сырая.

Объяснение этому простое: ферменты (которые всегда алчные) любят витамины и их роль заключается в разрушении любого продукта, который уже не живой (поэтому процесс начинается как только он собран). Они активны при температуре между 50 и 65°C и более или менее нейтральны при 95°C. Вот почему сваренная еда хранится лучше, чем сырая.

Согласно исследованиям, выполненным в Германии, овощи могут потерять больше витаминов (C, B, B2), когда их пассируют чем когда их готовят на пару. Чем короче время приготовления, тем меньше потеря витаминов. Используйте кастрюлю-скороварку! Это значительно полезнее, чем позволить овощам медленно пассироваться при низкой температуре, к чему нас ведет иногда ностальгия по прошлому. Прогресс имеет свои плюсы.

Когда мы варим овощи в воде, то мы понимаем, что большинство витаминов и минеральных солей растворяются в этой воде. Поэтому важно не сливать эту воду, а использовать ее, например, для супа... Если же они выращены индустриальными методами, то в дополнение к питательным элементам, которые для нас желательны, эта вода содержит все загрязнители, о которых мы говорили ранее (нитраты, инсектициды, рестициды, тяжелые металлы и т.д.).

Следует добавить, что когда вы готовите в сковородке на растительном масле и температура выше 170°C, то масло становится насыщенным и превращается в жир, который так же вреден, как и жир с мясом. Все это вместе оказывает плохое воздействие на уровень холестерина. В последние пять лет онкологи сильно подвергали критике приготовление барбекю (шашлыка) на гриле.

Они заметили, что кипящий жир превращается в бензопирин, вещество, являющееся канцерогенным. Вот почему мы настойчиво рекомендуем готовить мясо на вертикальном гриле. В этом случае жир будет стекать вниз и не соприкасаться с источником тепла.

Микроволновые печи с недавнего времени стали аттрибутом домашнего хозяйства и предметом многочисленных дискуссий. Никто не сомневается в их целесообразности с точки зрения сокращения времени приготовления пищи. Но каков их реальный эффект на "жизнь" приготавливаемой в них еды? В настоящий момент мы действительно этого не знаем, поскольку выполненные исследования недостаточно аккуратны и противоречивы.

Если вы знакомы с основными принципами приготовления пищи в микроволновых печах, а большинство читателей с ними не знакомы, то возникает вопрос, что происходит с содержащимися в продуктах витаминами, которые, как мы знаем, чрезвычайно чувствительны.

Пища приготавливается в печах за счет тепла, возникающего при расщеплении молекул воды, содержащихся в продуктах. Это тепло передается посредством теплопроводности или, более точно, посредством теплообмена. Каково состояние витаминов после нахождения в среде, в которой над атомами молекул воды произошли такие манипуляции? На этот вопрос до сих пор ответа нет, а некоторые, вызывающие серьезную озабоченность, ответы не имеют достаточного научного обоснования.

Вероятно, необходимы многолетние наблюдения, прежде чем мы сможем сказать, так ли опасен такой способ приготовления пищи, как это полагают некоторые. Должно было сменится несколько поколений прежде чем было доказано, что горизонтальное приготовление барбекю (шашлыка), первоначально используемое, приводит к раку.

Поскольку имеются сомнения, то лучше быть осторожными и использовать микроволновую печь для подогрева еды, а не для систематического приготовления пищи. Мы не рекомендуем молодым мамам часто использовать печь для подогревания детских бутылочек.

Другая причина прекратить эту практику связана с серьезной опасностью обжечь ребенка. Очень трудно реально оценить температуру внутри жидкости, которая может быть близка к кипящей, но снаружи бутылочка может казаться холодной или тепловатой.

Следует добавить, что молоко в такой печи не стерилизуется как это происходит при обычном процессе приготовления.

5. Следите за плохими жирами

Как мы уже отмечали, многие жиры, которые называются насыщенными, оказывают плохое воздействие на сердечно-сосудистую систему. Это относится к маслу, сливкам и жирному мясу: говядине, свинине, баранине. Слишком частое употребление этих продуктов может привести к опасности возрастания холестерина.

Прямо противоположное мы должны сказать о других жирах, обладающих свойством, защищать артерии: рыбий жир, оливковое масло, подсолнечное масло, а также гусиный и утиный жир. При выборе еды следуйте правилам Фазы 1, т.е. думайте о балансе различных жиров.

Предпочтительно ограничить употребление мяса и мясных продуктов тремя разами в неделю. Один из трех раз вы можете съесть кровяную колбасу, которая так богата железом. Рекомендуется также употреблять птицу (два раза в неделю) и яйца (два раза в неделю).

6. Некоторые варианты баланса хороших и плохих жиров

Хороший баланс:

Закуска	колбасные изделия или сардины
Основное блюдо	рыба или свиная отбивная
Десерт	сыр или натуральный йогурт

Плохой баланс:

Закуска	ветчина или зеленый салат с беконом
Осовное блюдо	стейк или отбивная тушеная со сливками
Десерт	сыр или творог со сливками

Образец меню на два дня для Фазы 1		
подъем в 7.10	-сок 2-х лимонов -2 киви	-сок одного грейпфрута -1 груша, 1 киви
завтрак в 7.30	-мюсли -2 обезжиренных йогурта -1 чашка декофеинизированного кофе	-хлеб из муки грубого помола -несладкий джем -чашка обезжиренного молока
обед в 12.30	-грибы по-гречески -кета -небольшая порция овощей -сыр	-салат -бифштекс -брокколи -сыр
чай в 4.30	-одно яблоко	-одно яблоко
ужин в 20.00	-курица -тушеные овощи -салат -йогурт без всяких добавок	-овощной суп -макаронные изделия из грубой муки с грибами -обезжиренный йогурт

В остальное время лучше всего есть рыбу. В идеале, вы должны иметь не менее трех углеводных ужинов из семи. Тогда у вас было бы десять из двадцати одного приема пищи (семь завтраков и три ужина), которые содержат хорошие углеводы и не содержат жиры.

7. Напитки, которые запрещены

Лимонады, шипучие напитки и фруктовые соки запрещены, поскольку они сделаны из экстрактов фруктов и растений, которые, в основном, синтетические и поэтому имеют один и тот же недостаток — в них содержится много сахара.

Эти напитки постоянно подвергаются критике и должны быть полностью исключены, поскольку содержащийся в них газ препятствует процессу пищеварения у многих людей. Если они даже сделаны из натуральных экстрактов, то шипучие напитки следует избегать из-за их токсичности.

В натуральных экстрактах цитрусовых наблюдались значительные следы плохих веществ, подобных метану.

Самыми плохими из напитков являются напитки, основанные на коле, перенасыщенные сахаром (бутылка объемом в 1,5 л содержит эквивалент 35 кускам сахара!). Эти напитки должны быть или запрещены или снабжаться этикеткой (подобной этикетке на сигаретах), напоминающей покупателям, что они наносят вред здоровью.

а. Пиво

Пиво — это напиток, который следует пить очень умеренно. Ему нет места ни в Фазе 1, ни в Фазе 2.

Не надо ехать в Германию, чтобы узнать о плохих побочных эффектах пива: отечность, плохой запах изо рта и прибавление веса.

В отличие от вина, пиво содержит самые плохие углеводы: солодовый сахар (гликемический индекс 110) в концентрации 4 г на один литр.

Необходимо отметить, что сочетание алкоголя с сахаром, которые содержатся в пиве, может привести к возникновению гипогликемии, которая вызывает усталость (см. Глава V1, Часть 1).

б. Алкогольные напитки

В Фазе 1 запрещены все алкогольные напитки, как аперетивы (анисовка, виски, джин, водка и т.д.), так и псевдо — пищеварительные (коньяк, арманьяк, кавальдос, и т.д.).

В Фазе 2 наши правила будут менее строгими, вино и шампанское (как наиболее престижный напиток) будут позволены.

Поскольку мы находимся сейчас в конце Фазы 1, то я напомню, что она является избирательной, а не ограничительной в смысле количества (вы всегда должны чувствовать, что съели достаточно).

Конечно, определенные продукты питания исключены и

предпочтение отдано другим продуктам, являющимся более питательными.

Нет нужды напоминать вам, что белый хлеб и все его разновидности (хрустящий хлеб, бисквиты, тосты и т.д.) должны исчезнуть из вашего меню (поскольку они содержат жиры). Хлеб из муки грубого помола и его разновидности должны использоваться только во время завтрака.

Если вы употребляли сахар в разумном количестве или были сластеной до начала использования нашего Метода, то вы должны потерять в течение первой недели не менее двух килограммов. Но прежде всего помните, что нужно продолжать следование Методу, иначе вы в течение двух дней вернете все то, что потеряли в течение восьми дней.

После первого периода процесс похудания будет более интенсивным, и если вы следуете нашим советам скрупулезно, то потеря веса будет продолжаться. Эта потеря веса должна продолжаться с устойчивой ритмичностью и она зависит от индивидуальности пациента.

Фаза 2

На данной стадии вес окончательно стабилизируется. Но вы беспокоитесь, что снова поправитесь. Всякая потеря в весе, не имеющая долгосрочной перспективы, неблагоразумна.

Вот некоторые основные принципы, которые следует соблюдать для стабилизации веса:

1. Ставьте перед собой реальные цели. Лучше достигнуть разумного веса, который можно поддерживать, чем стремиться к неосуществимым фантазиям. Ваш показатель BMI не должен быть больше 20 (см. Глава I, Часть II). Некоторые женщины видимо не относятся серьезно к этому основному положению!

2. В конце низкокалорийной диеты вас скорее всего постигнет разочарование. Как только закончится стадия

"диеты", организм начнет восстанавливать резервы жира. Вам удастся избежать этих неприятных последствий, следуя Методу Монтиньяка, который является селективным, а не ограничительным.

3. Научитесь справляться с любыми психологическими расстройствами. Период похудания приносит свои плоды (вознаграждает), но принятие новых привычек питания может быть только одним аспектом фундаментального пересмотра вашего образа жизни.

4. Старайтесь относиться к еде с удовольствием. Она не должна быть реакцией на стресс, скуку, беспокойство, раздражение. При необходимости обратитесь к психоаналитику, специализирующемуся на вопросах питания. Делайте упражнения по преодолению стресса, такие как релаксация, йога.

5. Занимайтесь спортом, чтобы ускорить нормализацию выделения инсулина. Это улучшит фигуру, поможет вам бороться с целлюлитом и сохранять психическое равновесие.

Метод Монтиньяка позволяет стабилизировать вес по следующим причинам:
* он не имеет количественных ограничений. По окончании Фазы 1, отсутствует риск "возвратного эффекта", т.к. организм не подвергался вредному воздействию, когда его сначала лишают привычного питания, а затем возвращают к нормальному циклу;
* приобретение хороших привычек питания в Фазе 1 продолжается впоследствии без стрессов, потому что широта выбора позволяет вам есть почти все;
* Фаза 1 легко выполнима. Хорошее самочувствие, которое она создает, предотвращает отклонения от рекомендаций питания. Расширяя ваши познания, Метод осуществляет определенную терапию поведения.

Если вы точно следовали рекомендациям, данным в предыдущей главе, вы уже должны были почувствовать положительный эффект.

Однако организм может оказывать сопротивление малейшему изменению привычек питания.

Те, кто действительно на протяжении нескольких лет питался плохими углеводами, должны помнить об этом.

Привычка питаться плохими углеводами также пагубна, как алкоголизм и курение. Прекращение употребления плохих углеводов может вызвать симптомы абстиненции.

Организм, который в течение длительного времени получал глюкозу с продуктами питания, стал несколько ленивым. Подобно маленькому ребенку, на чей крик сразу откликаются, он привык получать глюкозу при малейших признаках гипогликемии. Организму незачем самому вырабатывать глюкозу, чтобы поддерживать ее содержание на нормальном уровне.

Для снижения гипергликемии следует ограничить прямое поступление глюкозы с гликогенами (крахмалом, углеводами), и ваш организм начнет вырабатывать глюкозу из своих собственных запасов жира. Вскоре после того, как вы начнете следовать принципам предлагаемого нами Метода, вы можете обнаружить признаки сопротивления организма, отказывающегося вырабатывать собственную глюкозу. Как правило, это — чувство усталости.

Не сдавайтесь! Не поддавайтесь соблазну снова начать есть что-нибудь сладкое, даже временно.

Полные люди, занимающиеся спортом, чаще других испытывают сопротивление организма новым привычкам питания в первую неделю Фазы 1. Для снятия симптомов гипогликемии рекомендуется есть богатые питательными веществами лесные орехи или миндаль.

При более серьезных энергетических потерях вам следует есть сушеный инжир или абрикосы. Однако, в любом случае это должны быть "хорошие углеводы".

Организм быстро поймет, что легкая жизнь кончилась и ему остается только восстановить свои естественные функции и начать вырабатывать свою собственную глюкозу из собственных запасов жира.

Те, кто следовал низкокалорийным диетам, в течение длительного времени умирал от голода и набирал четыре фунта только взглянув на витрину кондитерской, могут даже немного прибавить в весе (очень ненадолго и только на два — три лишних килограмма).

В сущности, это нормальная реакция организма на недостаток питания, который он испытывал на протяжении нескольких лет. Начиная снова получать минимум энергии, необходимой для нормального функционирования, он попытается отложить немного про запас. Однако, это продлится всего несколько дней. И если такое с вами случилось, прежде всего не отказывайтесь от Метода и не возвращайтесь к голоданию, поскольку это только навредит. Напротив, упорно продолжайте следовать Методу. Ваш организм очень быстро адаптируется.

Через несколько дней вы не только избавитесь от дополнительного веса, но и увидите первые результаты. Если вы придерживались очень строгой низкокалорийной диеты, следует медленно увеличивать калорийность рациона, одновременно соблюдая рекомендации Метода в выборе продуктов. Это поможет избежать слишком резких изменений, которые часто являются причиной временного увеличения веса, вызванного тем, что голодающий организм все еще мыслит на языке рефлексов прежней низкокалорийной диеты.

Возможно, вы сначала не похудеете. Тем не менее, вы почувствуете себя более стройной, потому что ваше тело будет находится в лучшей форме. Из-за низкокалорийной диеты мышечные ткани у вас обладали меньшей плотностью, чем следует (дефицит белка). В первые дни (или даже в первые несколько недель) происходит восстановление мышечных тканей за счет жировых отложений. Таким образом, в результате "перераспределения ткани" количество жировых отложений уменьшается.

Мы вернемся к более детальному рассмотрению этого вопроса в Части 2.

В данный момент каждый читатель горит желанием узнать, как долго будет продолжаться Фаза 1. У меня возникает искушение ответить, рискуя вызвать смех: "некоторое время!", поскольку это зависит от того, на сколько вы хотите похудеть, от индивидуальной чувствительности и от дисциплинированности, с которой вы будете следовать принципам Фазы 1.

Основной целью Фазы 1 является восстановление нормального функционирования поджелудочной железы. Для стабильного улучшения функции выделения инсулина требуется время от нескольких недель до нескольких месяцев.

Полагаю, что срок в два — три месяца является достаточным.

Фаза 2 на деле является лишь естественным продолжением Фазы 1. В течение Фазы 2 разрешается постепенно вводить возможные отклонения в правилах питания. Однако, их необходимо научиться контролировать.

Последняя глава служит для того, чтобы помочь вам избавиться от плохих привычек питания и приобрести полезные.

Теперь вы можете расширить свой выбор продуктов питания, что даст большую свободу в применении некоторых принципов.

Завтрак

В наших последующих рекомендациях ничего, или почти ничего, не изменится. Продолжайте следовать принципам, всегда плотно завтракая, употребляя хлеб из муки грубого помола, или мюсли.

Ели вы едите настоящий хлеб из непросеянной муки грубого помола, то можете намазать его, если хотите, маслом или маргарином.

Во время путешествия или делового завтрака вы можете обнаружить, что в вашем распоряжении нет ничего, кроме круассанов или белого хлеба. Не волнуйтесь и съешьте их в виде исключения, если хотите.

Если вы достигли хороших результатов в Фазе 1, поджелудочная железа должна быть способна справиться с гипергликемией без избыточного выделения инсулина, приводящего к *гипогликемии*. Вы больше не будете чувствовать внезапную усталость в одиннадцать часов утра.

С другой стороны, вы должны отказаться от хлеба, выбирая несладкий белково-липидный завтрак. Никогда не изменяйте этой привычке. Мы поговорим об этом еще раз, когда будем обсуждать обед.

Хотя на Фазе 2 допускаются случайные отклонения в питании, типа круассанов или белого хлеба, необходимо твердо придерживаться правила употребления фруктов или фруктового сока только перед завтраком. Не путайте случайное отклонение с ошибкой.

Обед

Устраивая обед по специальному поводу (бизнес, семейная встреча и др.), вы можете перед едой позволить себе аперитив. Об этом не упоминалось прежде, поскольку это было исключено для Фазы 1.

1. Аперитивы

Необходимо соблюдать несколько важных принципов относительно аперитивов. Во-первых, он должен содержать как можно меньше спирта. Отдавайте предпочтение алкоголю, полученному путем естественной ферментации, и старайтесь избегать дистиллированного (полученного путем перегонки) спирта, который усваивается труднее. Не употребляйте алкогольные напитки типа виски, джина, водки и т.п... Если вы чувствуете потребность в спиртном, значит вы находитесь в плену алкогольной зависимости. Поэтому люди, которые любят спиртные напитки, пьют их неразбавленными на пустой желудок.

При возникновении у этих людей гипогликемии алкоголь временно поднимает уровень содержания глюкозы в крови, вызывая у них улучшение самочувствия.

Эта привычка приводит к ощущению утомления, которое часто возникает после еды.

Поэтому лучше пить вино или шампанское, или другие искристые вина.

Следует поощрять моду на предложение в качестве аперитива фруктового белого вина типа Alsace, Sauterne, или даже превосходных заменителей, таких как Monbazillac, Barsac, Loupiac или Sainte-croix du Mont.

Но, ради Бога, давайте избавляться от этой прискорбной привычки добавлять в белое вино, или, того хуже, в шампанское сахар. В большинстве случаев это делается для того, чтобы замаскировать посредственное качество вина. Кир (крепление вина) во всех его видах нужно запретить без намерения обидеть священника, давшего этому способу свое имя!

Мы знаем, что ликер означает сахар, и его употребление в сочетании с алкоголем каждый раз приводит к возникновению гипогликемии и, как следствие, к внезапному чувству усталости.

Различные виды пуншей, портвейнов, сангари и т.д. попадают в ту же категорию. Это идеальные напитки, для того чтобы почувствовать сонливость и изнуренность в оставшуюся часть дня или вечера.

Другой важный принцип, который следует соблюдать в при любых обстоятельствах — это ничего не пить на голодный желудок, за исключением воды. Если вы придерживаетесь рекомендаций, данных в этой книге, если вы стали нашим последователем, сражайтесь на нашей стороне за соблюдение этого принципа и, кроме всего, за изменение привычек кулинаров.

В обществе существует традиция подавать эти напитки первыми, и только после этого, значительно позднее, приносится еда, и это единственное, что вам предложат. Когда еду разносят на подносах, она, естественно, полностью состоит из плохих углеводов.

Один из основных принципов, который читатель должен усвоить из этой книги, следующий: не пить никаких спиртных напитков на голодный желудок. Если об этом забывают, то обмену веществ каждый раз неизбежно наносится вред.

Перед тем, как выпить алкогольный напиток, необходимо поесть, но для этого подходит не любая пища.

Для того, чтобы алкоголь не поступал непосредственно в кровь, желудок должен быть закрыт на уровне пилеруса, который является сфинктером, расположенным между желудком и началом тонкого кишечника. Для этого нужно съесть что-нибудь белковое, или жирное. Поскольку эта пища медленно переваривается, желудок не откроется.

Мы предлагаем перед любым алкогольным напитком съесть несколько кусочков сыра. При этом образуется что-то вроде "емкости" из пищи, блокирующей желудок, которая поможет нейтрализовать часть алкоголя, частично поглощая его.

Обволакивая желудок, жиры также могут помочь предотвратить, или, по крайней мере, ограничить проникновение алкоголя сквозь стенки желудка. По этой же причине, чтобы предотвратить последствия выпивки, некоторые предварительно принимают ложку оливкового масла.

2. Вино

Как говорит доктор Маури, "Вину среди всех алкогольных напитков позволено занять отдельное место".

Можно только сожалеть, что во многих случаях предпочтение отдается подслащенным фруктовым сокам, а не вину. Последствия этого для обмена веществ часто прискорбны.

Если пить вино в разумных количествах (около двух - трех бокалов в день в середине приема пищи), оно является превосходным напитком, так как улучшает пищеварение, обладает тонизирующими, гипоаллергенными и антибактериальными свойствами. В вине также содержится большое количество микроэлементов.

Что касается аперитивов, вино само по себе не вызывает сонливости после еды, и все зависит от того, как его пьют. Если вам еще не предложили аперитив, когда вы пришли в ресторан, первое, что должен сделать официант, приняв заказ, это принести вино, откупорить бутылку и наполнить бокал для каждого из присутствующих.

Если вы соблазнитесь и выпьете это вино, то окажетесь в таком же состоянии, какое вызывает аперитив. Вы можете сделать две вещи: или подождать начала трапезы, или попросить принести что-нибудь из еды (сыр, салями, оливки), чтобы закрыть сфинктер.

Отныне вы всегда должны ждать, пока не съедите что-нибудь перед тем, как пить любое вино.

Чем позже вы начнете пить, тем лучше, поскольку, чем полнее желудок, тем меньшее отрицательное воздействие окажет алкоголь.

Будет идеальным, если вы не притронетесь к бокалу с вином до середины трапезы.

Если вы будете придерживаться этого правила, вы никогда больше не почувствуете усталости после еды, а также обнаружите, что пища при этом легче усваивается.

Как мы уже отметили, количество выпитого за едой вина должно быть пропорционально (естественно в разумных пределах) количеству съеденной перед этим пищи.

Если в вашем распоряжении есть и вода и вино, выпивая воду после вина, вы рискуете, разбавляя последнее, тем самым ускорить его участие в обмене веществ, несмотря на то, что принятая заранее пища препятствует этому и затем поглощает алкоголь в процессе пищеварения.

Подобно тому, как нельзя пить и вести машину, во время еды должен быть сделан выбор между употреблением воды или вина. Не рекомендуется пить воду после вина.

3. Хлеб

Даже на Фазе 2 желательно продолжать придерживаться правила не есть хлеб во время двух основных приемов пищи. Хлеб следует оставить для завтрака. Это время для ежедневного использования хлеба. Ешьте сколько хотите. Отнеситесь к хлебу с почтением, он этого заслуживает. Пройдите мили, чтобы найти его. Делайте его сами, если необходимо. Продолжайте чтить его как особый продукт питания, но забудьте о нем во время двух других приемов пищи.

Отказ от хлеба во время двух основных приемов пищи

продолжает оставаться принципиальным вопросом. Если вы обходились без этого в Фазе 1, продолжайте делать то же самое, отступая от этого правила только в исключительных случаях.

Белый хлеб как сигареты. Если вы исключили его из своего рациона, вы не должны возвращаться к нему, иначе он снова завладеет ситуацией. Вы, конечно, заметили, как бывшие окружающие вас курильщики, достаточно давно бросившие курить, постепенно возвращаются к старой привычке. После длительного воздержания, которым восхищались окружающие, однажды они позволяют себе выкурить одну большую сигару (говоря, что сигары не оказывают такого влияния, как сигареты).

Поскольку у них не всегда есть большие сигары, они курят малые сигары. Затем, когда однажды у них не окажется и их, они возвращаются к сигаретам и снова оказываются в западне. Даже хлеб грубого помола делает обогащенную жирами, обильную пищу гораздо более тяжелой.

Проведем следующий эксперимент: двум участникам испытания во время основного приема пищи в добавок к основному блюду подадим сыр или даже пудинг. Если вы следуете принципам нашего Метода относительно состава блюд и вина, то по окончании трапезы вы почувствуете себя легким, как перышко, несмотря на большое количество съеденной пищи. Вы без труда переварите ее, не почувствовав сонливости.

Один или два кусочка хлеба в добавок к подобной пище заставят вас почувствовать неприятное вздутие и расстроят пищеварение.

Не рискуйте вернуться к старой привычке ни за что на свете!

Если существует привычка, которую надо запретить и твердо осудить, — это прискорбная привычка у людей, севших за стол, немедленно хватать хлеб (благодарите гипогликемию) и даже по возможности намазывать его маслом.

Прибавьте бокал вина или аперитива на голодный желудок и 50% ваших жизненных сил до конца дня будет потеряно.

Исключения из правил

Управление процессом питания означает регулирование веса и состояния, подбор соответствующих продуктов питания и контроль отклонений от основных правил. Последовательно следуя принципам нашего Метода, можно без большого ущерба иногда позволить себе отступление от правил.

Это может быть суфле с небольшим содержанием белой муки, или даже макароны, или немного белого риса, который неожиданно положили на вашу тарелку.

Чаще исключением из правил будет десерт, поскольку если еще можно отказаться от некоторых продуктов поданных с закуской или основным блюдом, осторожно оставляя их в стороне, то, будучи гостем, очень трудно категорически отказаться от десерта, в состав которого может входить и сахар, и белая мука. Нарушение возможно, но как исключение!

Однако вы должны избегать многочисленных отступлений от правил, поскольку это приведет к прогрессивному возвращению к старым привычкам.

Если вы любите картофель и скучаете по нему, однажды вы можете побаловать себя. Но как любой продукт, вызывающий гипергликемию, употребляйте его с продуктами, содержащими преимущественно клетчатку, что позволит ограничить рост содержания глюкозы.

Если вы любите чипсы настолько, что не в силах от них отказаться, прежде всего ешьте их с салатом, а не с мясом. Можете обойтись в этот раз только чипсами и салатом. Этим вы принесете себе меньше вреда. Похожая проблема возникает с вареной морковью. Если вы не можете от нее отказаться, употребляйте ее в сочетании с другими продуктами, содержащими много клетчатки.

На Фазе 1 единственным гарниром, который вы могли себе позволить, были углеводы с очень низким гликемическим индексом, содержащие мало глюкозы и много клетчатки.

На Фазе 2 вы можете вернуться к употребление углеводов с низким гликемическим индексом (коричневый рис, макароны из муки грубого помола, чечевицу, сушеную фасоль и пр.) в качестве гарнира к мясу и рыбе. Немного соленой свинины с чечевицей или жареная ножка ягненка с фасолью будут рассматриваться как исключение. Изредка можете позволить себе гарнир с высоким гликемическим индексом (белый рис или картофель).

Некоторые продукты упоминались с оговоркой на Фазе 1, особенно для тех, кто хотел значительно похудеть. Это были устрицы, лангусты и паштет из гусиной печени. В Фазе 2 их употребление не ограничено.

В Фазе 2 фрукты продолжайте есть на голодный желудок. Ягоды земляники, малины, ежевики можно съесть после еды с несладкими взбитыми сливками. Они не нарушают процесс пищеварения.

Ужин

Основные принципы в Фазе 2 остаются те же, что применялись в течение Фазы 1. Разница состоит в том, что теперь разрешаются некоторые отклонения или во время ужина или во время обеда. Но будьте осторожны, нельзя позволять ежедневно большие отступления от правил.

Совершая слишком большое количество исключений в один день, вы рискуете вернуть к жизни прежний опыт в следующие двадцать четыре часа. Вернется усталость, внезапное истощения сил и другие формы сонливости, от которых вы избавились, не говоря уже о прибавке в весе.

Примите решение никогда не допускать отклонений, если это не приносят вам необычайного наслаждения. Откажитесь от любого вида дешевых сладостей и шоколада, которые продаются в дешевых магазинах.

Исключения всегда должны быть образцом качества или гастрономии.

Позвольте себе восхитительный круассан с маслом, с любовью приготовленный в частной пекарне. Категорически откажитесь от ужасных продуктов питания, продающихся на железнодорожных станциях.

От сэндвичей из муки грубого помола к здоровой "еде на ходу"

Если вы держите в руках кусок хлеба грубого помола, вы всегда подумываете, не сделать ли из него сэндвич с нежирным мясом, копченой лососиной или сырыми овощами.

Так могла бы возникнуть "еда на ходу", где основные блюда (пицца, пироги, булочки) приготавливались бы из неочищенной муки и экологически чистых продуктов.

Такой "новый гамбургер" был бы фактически приемлем, поскольку в нем сохранились бы минеральные соли, витамины и клетчатка и при этом отсутствовал бы сахар, большинство насыщенных жиров и остатки пестицидов.

Такая закуска из экологически чистых продуктов в будущем могла бы примирить "детей прогресса" с традиционными продуктами питания прошлых поколений.

Контролировать фигуру — это управлять выбором продуктов питания. Однако этот новый революционный подход к питанию, являясь естественным и реалистичным, тем не менее не должен вызвать импульсивности поведения.

Способ питания чем угодно, где угодно и как угодно, уступая лени и бездумно следуя увещеваниям рекламы, конечно, нужно осудить, поскольку такое поведение действительно является безответственным.

Стать одержимым проблемой питания и качества продуктов или сходить с ума по экологически чистому сельскому хозяйству — это другая крайность.

Новое сознание, которое возникло с новыми привычками питания, не означает, что вы должны делать покупки исключительно в магазинах экологически чистых продуктов, в которых, надо сказать, не обязательно гарантирована чистота всех продуктов. Не нужно отказываться от преимуществ современного общества, включая также общество потребления.

Необходимо прежде всего научиться лучше понимать различия между продуктами и выбирать из них более полезные.

Качество продуктов, которые мы едим, как и качество воздуха, которым мы дышим, определяет состояние нашего здоровья.

Точно также, как мы стараемся дышать чистым воздухом, мы должны стремиться к большему разнообразию в нашем питании, научиться получать удовольствие и радость от наших вкусов, снова открыть для себя множество вкусовых ощущений, которые мы потеряли, культивировать священное чувство к процессу приготовления пищи и уважение к подлинным, натуральным и чистым продуктам нашей доброй старой матери Земли.

Осуществление Фазы 2

Фаза 2 требует более тонкого подхода по сравнению с Фазой 1, поскольку имеет менее строгие правила. С одной стороны, в Фазе 2, в отличие от Фазы 1, нет жестких запретов, но, с другой стороны, есть обязательные условия. Вы можете позволять себе все, что хотите, но не переступать порога, когда отдельные исключения становятся правилом.

Потеря чувства меры недопустима.

По достижении желаемых результатов, когда вы похудеете и восстановите жизненные силы, не возвращайтесь к старым привычкам питания. Иначе те же причины приведут к тем же результатам, и появится риск вернуть потерянные килограммы и ощущение усталости.

Вы должны всегда придерживаться основных принципов Фазы 1, только, может быть, менее строго.

В течение Фазы 1 об отступлениях от правил не могло быть и речи. Фаза 2 — это именно фаза исключений, но вы должны контролировать исключения. То есть, вы никогда не должны упускать из виду принципы Фазы 1 и всегда снова к ним возвращаться после отдельных небольших отступлений.

Фаза 2 — это фаза условной свободы, которая вскоре должна стать вашей второй природой. Управление исключениями — искусство, но это выполнимо, если следовать определенным правилам. Как вы знаете, существуют малые и большие исключения.

К малым исключениям относятся следующие:

— бокал вина или шампанского в качестве аперитива, после того как съеден кусок сыра, салями или несколько оливок;

— два бокала вина во время принятия пищи;

— десерт, содержащий фруктозу (мусс или фрукты) или десерт из горького шоколада, богатого какао;

— блюдо из хороших углеводов и растительное масло (тарелка чечевицы с несколькими каплями оливкового масла, тарелка фасоли с нежирным мясом);

— тост из муки грубого помола с паштетом из гусиной печени или лососиной;

— кусок хлеба грубого помола с сыром.

К большим исключениям причисляются следующие:

— бокал аперитива + бокал вина во время одного приема пищи;

— закуска, содержащая плохие углеводы (суфле, киш, слоеные пирожки);

— основное блюдо, содержащее плохие углеводы (сахар, белую муку).

В действительности возможно любое исключение, но необходимо понимать, что организм относительно легко переносит все маленькие исключения, если вы благополучно завершили Фазу 1 и постоянно придерживаетесь основных ее правил. Большие отклонения возможны, если они случаются не слишком часто.

Стрелка ваших весов должна служить предупреждением для внесения корректирующих изменений. Если вы увидите, что снова полнеете, это может происходить по одной из двух причин. Либо поджелудочная железа еще не достигла достаточного уровня устойчивости, либо отклонения от правил происходят слишком часто.

Проявите немного здравого смысла и примите соответствующие меры.

На самом деле регулировать исключения в жизни гораздо легче, чем представляется по теории. Проще потому, что последствия слишком частых исключений проявляются не только в возможном увеличении веса.

В целом отклонения в питании лучше всего оценивать по вашей работоспособности, выносливости, жизненной силе или общему состоянию. Как только вы зайдете слишком далеко, реакция организма станет заметной настолько быстро, что вы инстинктивно примете корректирующие меры.

Общие правила Фазы 2

1 — никогда не позволяйте себе двух исключений во время одного приема пищи.

Пример:

Приемлемые	Неприемлемые
2 бокала вина 1 шоколадный мусс более чем на 70% состоящий из какао	1 аперитив 2 бокала вина 1 соленая свинина с чечевицей

2 — никогда не позволяйте себе делать небольшое исключение в еде более одного раза в день.

Это означает , что в одном из двух приемов пищи будут возможны отклонения, а на другой будут распространяться правила Фазы 1.

3 — если еда состоит из трех блюд, никогда не позволяйте себе более одного большого отклонения, и если еда состоит из четырех блюд — более одного большого отклонения и двух малых.

Пример:

Пища с большим исключением	Пища с большим исключением** плюс небольшое исключение*
авокадо хек, брокколи яблочный песочный торт** 1 бокал вина	устрицы жаркое из ягненка, фасоль* профитроли* 3 бокала вина

---

*небольшое исключение;

**большое исключение

154

Примеры меню Фазы 2

День № 1

Завтрак

Фрукты
Хлеб грубого помола + несладкий джем
Легкий маргарин
Кофе без кофеина
Обезжиренное молоко

Обед

Авокадо под соусом (масло и уксусная заправка)
Бифштекс с зеленой фасолью
Крем-брюле
Напитки: 2 бокала вина*

Ужин

Овощной суп
Омлет с грибами
Зеленый салат
Обезвожженный творог
Напитки: вода

День № 2

Завтрак

Апельсиновый сок
Рогалик (круассан) + сдобная булочка (бриошь)**
Масло
Кофе с молоком

Обед

Сырые овощи (помидоры с огурцами)
Филе хека приготовленное на гриле
Шпинат
Сыр
Напитки: только один бокал вина

Ужин

Артишоки под соусом
Яичница с помидорами
Зеленый салат
Напитки: вода

День № 3

Завтрак

Фрукты
Хлеб грубого помола
Легкое масло
Кофе без кофеина
Обезжиренное молоко

Обед

Аперитив + 1 бокал белого вина*
Копченый лосось
Ножка ягненка с фасолью
Зеленый салат
Сыр
Шоколадный мусс*
Напитки: два бокала вина**

Ужин

Овощной суп
Фаршированные помидоры
Зеленый салат
Обезжиренный творог
Напитки: вода

День № 4

Завтрак

Яичница
Бекон
Сосиски
Кофе или кофе без кофеина с молоком

Обед

Дюжина устриц
Тунец запеченный на гриле с помидорами
Земляничный песочный торт**
Напитки: 2 бокала вина*

Ужин

Овощной суп
Цветная капуста запеченная под сыром
Зеленый салат
Йогурт
Напитки: вода

День № 5 (большое отклонение)

Завтрак

Апельсиновый сок
Сырые злаковые или обезжиренный творог
Кофе или кофе без кофеина + обезжиренное молоко

Обед

Лосось, запеченный в гриле + шпинат
Мусс с горьким шоколадом**
Напитки: 3 бокала вина**

Ужин

Суфле из сыра
Немного соленой свинины с чечевицей
Сыр
Напитки: 3 бокала вина**

Замечание: День № 5 дан только для примера. Конечно, следовать приведенному примеру не рекомендуется, особенно это касается вина, количество которого превышает 0,5 литра (более 6 бокалов). Максимальное количество выпитого вина не должно превышать 0,5 литра в день. Поэтому подобный вид отступления от правил можно позволить себе только в исключительном случае.

День № 6 (полное возвращение к Фазе 1)

Завтрак

Хлеб грубого помола
Обезжиренный творог
Кофе без кофеина

Обед

Сырые овощи (огурцы, грибы,редис)
Отварной хек (мерлуза) с томатным соусом
Сыр
Напитки: вода, чай или отвар ромашки

Ужин

Овощной суп
Ветчина
Зеленый салат
Один йогурт

День № 7

Завтрак

Хлеб грубого помола
Обезжиренный творог + несладкий джем
Кофе без кофеина
Обезжиренное молоко

Обед

Салат из листьев цикория
Антрекот с зеленой фасолью
Земляника + несладкие взбитые сливки
Напитки: 1 бокал вина

Ужин

Фрукты
1 апельсин, 1 яблоко, 1 груша
150 граммов малины или ежевики
Напитки: вода

День № 8

Завтрак

Хлеб грубого помола
Легкое масло
Кофе без кофеина
Обезжиренное молоко

Обед

Креветочный коктейль
Тунец + баклажаны
Зеленый салат
Сыр
Напитки: 2 бокала вина*

Ужин

Овощной суп
Тарелка чечевицы
Земляника
Напитки: 1 бокал вина

Глава VI

УСТАЛОСТЬ:
ЯВЛЯЮТСЯ ЛИ ПРОДУКТЫ ПИТАНИЯ
ПРИЧИНОЙ УСТАЛОСТИ?

Если когда-либо вы обратитесь к врачу с жалобой на чувство усталости, вряд ли он задаст вопрос о питании или, что еще менее вероятно, станет искать причину в возможном недостатке витаминов и минеральных солей. Только в очень редких случаях он обратит внимание, что хроническое или кратковременное ухудшение вашего самочувствия может быть прямо или косвенно вызвано выбором продуктов питания.

Гипергликемия: слишком очевидная причина, чтобы о ней подумать!

Водитель машины должен резко остановиться на обочине дороги. Его почти новый и находящийся в отличном состоянии автомобиль остановился.

На буксире автомобиль доставляют к ближайшему гаражу и подвергают тщательной механической проверке. Но напрасно. Ничто не может объяснить причину неисправности. На станции, специализирующейся на ремонте автомобилей, куда его доставляют, рассматриваются самые дикие версии. Автомобиль разбирают на части, производят замену основных механизмов и снова собирают. Он все равно не работает! И, наконец, выясняется причина: в нем кончился бензин.

Диагностирование гипогликемии немного напоминает эту историю. Причина слишком проста, чтобы о ней думать.

В средние века города были переполнены. Их узкие улицы

160

были загромождены мусором и экскрементами, изобиловали свиньями, кишащими крысами и насекомыми. Проказа, чума, тиф, холера, дизентерия веками поражали достойнейших людей этого времени, пока однажды им не пришла в голову мысль, что между причиной и следствием может существовать связь и что с помощью некоторых гигиенических мер можно предотвратить эпидемии. С тех пор внушающую ужас чуму стали относить к болезням цивилизации, а позднее список таких заболеваний пополнили оспа, туберкулез и даже сифилис.

В список болезней современной цивилизации, наряду с другими, включены диабет, рак, сердечно-сосудистые заболевания и с совсем недавнего времени СПИД. Однако об одной, очень характерной для нашего времени, болезни часто забывают. Речь идет о гипогликемии. Хотя по общему признанию гипогликемия не представляет смертельной опасности, она омрачает жизнь тех, кто ею страдает.

1. Гликемия: гипер- и гипо-

Из предыдущих глав мы узнали, что глюкоза является источником энергии для нашего организма. Она совершенно необходима для мышечной активности и особенно для функционирования мозга.

Без этого жизнь невозможна. Недостаток глюкозы отражается на нашем самочувствии, проявляясь, как правило, в виде усталости.

Мы знаем, что глюкоза поступает через кровь, и что на пустой желудок ее средний уровень в крови составляет 1 грамм на литр.

Чтобы поддерживать идеальный уровень глюкозы, организм последовательно активизирует два источника ее поступления:

— используется резервный запас гликогена, который находится в печени и мышечной ткани;

— производится собственная глюкоза (неогликогенезис), которая кроме всего может быть получена путем превращения резервных жиров.

В случае поглощения углеводов уровень содержания глюкозы повышается, и наступает состояние гипергликемии. Когда содержание сахара в крови падает до 0,60 грамм на литр, возникает состояние гипогликемии.

2. Один симптом может скрываться за другим

Если ваш завтрак состоит из хороших углеводов, имеющих низкий гликемический индекс, повышение содержания глюкозы в крови не превысит допустимых границ (1,25 г/л), и выделенный в небольшом количестве инсулин постепенно вернет содержание глюкозы к нормальному уровню (1 г/л).

Если ваш завтрак состоит из плохих углеводов (белого хлеба, меда, джема, сахара и пр.), уровень содержания глюкозы может достигнуть 1,8 г/л. При этом уровень выделения инсулина будет очень высоким или слишком высоким, если поджелудочная железа в плохом состоянии.

Избыточное выделение инсулина (гиперинсулинизация) вызовет анормальное снижение содержания глюкозы в крови. При уровне глюкозы 0,45 г/л, в течение трех часов после принятия пищи, возникает состояние гипогликемии.

Признаками резкого снижения сахара являются бледность, сильное сердцебиение, потливость, беспокойство, дрожь, или внезапное чувство чрезвычайного голода. Классический симптом гипогликемии — потеря сознания.

Доктор с легкостью диагностирует гипогликемию и даст соответствующий совет, как предотвратить рецидив. Он также проверит, нет ли другой серьезной причины вашего недомогания.

Большинство людей, у которых была обнаружена гипогликемия, как правило, думает, что это состояние возникает, когда их организму требуется сахар. Как раз наоборот!

Если, например, они к полудню почувствуют слабость, возможно это следствие чрезмерного потребления "плохих" углеводов за завтраком.

Другими словами, вы находитесь в состоянии гипогликемии в 11 часов утра потому, что в 8 утра ваш организм испытал состояние гипергликемии. И ухудшение состояния является реакцией на гипергликемию. Парадоксально, но слишком большое потребление сахара, провоцируя избыточное выделение инсулина, ведет к недостатку глюкозы в организме.

За одним симптомом скрывается другой!

3. Функциональная гипогликемия

В большинстве случаев уровень глюкозы снижается постепенно, что затрудняет диагностику. Симптомы слишком неявные. Человек испытывает головные боли, зевоту, внезапную усталость, ему трудно сосредоточиться, у него возникают проблемы со зрением, провалы в памяти, озноб. У некоторых людей появляется раздражительность и агрессивность.

Чаще от озноба страдают женщины. На работе вы возможно замечаете, что ближе к полудню у них появляется желание "накинуть жакет", хотя температура воздуха практически не изменилась.

Часто можно наблюдать, что по мере того, как приближается обеденное время, некоторые люди становятся все более нервозными, раздражительными и даже агрессивными.

Что касается зевоты и других признаков сонливости, которые, как правило, вносят разнообразие в проведение рабочих совещаний, это также весьма очевидные признаки гипогликемии.

Проведенные во Франции исследования людей, ставших жертвами несчастных случаев на дорогах, показали что более 30% случаев произошли вследствие падения уровня содержания глюкозы в крови. Администраторы хорошо знают, что несчастные случаи на производстве более часто происходят в определенное время дня.

Большинство из них связано с ослаблением внимания, вероятно вследствие падения уровня содержания глюкозы.

Симптомы функциональной гипогликемии часто похожи на те, что возникают при хроническом переутомлении или недостаточном мозговом кровообращении. В действительности, это лишь косвенные последствия плохих привычек питания: слишком много сахара, белого хлеба, картофеля, макаронов, белого риса и недостаток клетчатки.

Долгое время считали, что только люди, предрасположенные к полноте, могут страдать гипогликемией. Исследования показали, что худые люди также подвержены этому заболеванию. Разница заключается в особенностях метаболизма. Некоторые накапливают жир, некоторые — нет.

Следует решительно осудить глупую привычку постоянно жевать что-то, состоящее, обычно, из плохих углеводов. Это всегда приводит к состоянию гипогликемии, вызывая чувство голода или внезапную усталость.

Магнаты агропромышленного бизнеса конечно незамедлительно приступили к эксплуатации прекрасного рынка подобных продуктов. Покупателю, например, предлагают знаменитые плитки из псевдо-шоколада, который, как правило, более чем на 80% состоит из сахара и других содержащих глюкозу компонентов.

Некоторые доходят до того, что в своей рекламе дают заведомо ложную информацию об энергетической ценности продукта, поскольку правдивые сведения менее выгодны. Другие обещают, что их продукт окажет мгновенную энергетическую поддержку, которая в действительности является проявлением гипер-/гипо-цикла и идеальным средством вовлечения покупателя в истинно порочный круг.

Употребление сладостей, особенно между едой, на деле только ухудшает ситуацию.

Снижение уровня содержания глюкозы происходит также быстро и также заметно, как и его повышение.

Любители перекусить на ходу все время испытывают симптомы гипогликемии. Особенно это характерно для Америки, где привыкли употреблять гипергликемические продукты (кока-колу, гамбургеры, чипсы, воздушную кукурузу и др.), вызывающие вторичные последствия гипогликемии, которые мы уже обсуждали. Если люди, вовлеченные в цикл абсолютной зависимости от углеводов, перестанут постоянно употреблять углеводы, результаты могут оказаться драматическими.

Американским врачам известны люди с наркотическим пристрастием к плохим углеводам, которых они называют "жаждущие углеводов". В США был опубликован ряд работ, в которых отмечена связь между "чрезвычайной зависимостью от сахара" и жестокостью.

Многочисленные исследования, проведенные в тюрьмах, показали, что большинство правонарушителей страдают хронической гипогликемией. Некоторые авторы полагают, что более высокий уровень преступности среди черного населения можно объяснить более частым употреблением гипергликеминовых продуктов в силу их дешевизны.

Поэтому среди чернокожего населения больше людей, склонных к ожирению.

Гипогликемия также является одним из убедительных объяснений алкоголизма.

Когда алкогольные напитки пьют на пустой желудок, алкоголь поступает непосредственно в кровь и мгновенно вызывает повышение уровня содержания глюкозы.

Алкоголь, особенно у людей страдающих алкоголизмом, препятствует высвобождению глюкозы, запасы которой в виде гликогена находятся в печени, подавляя процесс неогликогенеза. Человек, страдающий алкоголизмом, физически не может вынести состояние возникающей при этом гипогликемии. Он чувствует потребность в дополнительной дозе алкоголя, чтобы улучшить самочувствие. И, что особенно важно, он обращается к этому возбуждающему средству снова и снова.

Следующий бокал алкоголя действительно повысит содержание глюкозы в крови, и человек почувствует большое облегчение. Теперь вы поймете, какую ошибку мы совершаем, когда принуждаем страдающего алкоголизмом человека вместо вина пить соки или сладкие напитки, стараясь вывести из его организма алкоголь. Так как хроническую гипогликемию не вылечивают, человеку в любое время грозит рецидив.

Подростки, которые любят "подзаправиться" колой или другими сладкими напитками, через какое-то время также оказываются вовлечены в подобную гипер-/гипоспираль, и возможно поэтому они становятся более вялыми и ленивыми.

Американские и французские ученые обнаружили и более серьезные последствия этой привычки. У подростков, страдающих зависимостью от гипергликеминовых напитков, с годами возрастает опасность заболевания алкоголизмом.

Врач из Вашингтонского университета недавно заявил, что именно эта причина, возможно, служит причиной новой вспышки алкоголизма в Американских учебных заведениях.

Можно привести множество примеров, когда французские подростки, еще не достигнувшие 15 лет, временами "баловались" выпивкой, и их учителя хорошо знали об этом. Говорят, в одном маленьком провинциальном городке местная классная дама "черная Мария" из начальной школы-интерната регулярно забирала учеников обратно в колледж вечером после выходного дня в состоянии заметного опьянения.

В большинстве случаев предпочитают замять дело. Нужно сказать, что если вы попытаетесь обвинить истинного виновника — "изменение модели питания нашего общества", над вами только посмеются и будут пожимать плечами.

Тем не менее, наши подростки, молодежь завтрашнего дня продолжают удовлетворять постоянное чувство голода провоцирующими гипергликемию напитками, а "кока- доллары" успешно отмываются путем инвестиций в престижные рекламные и блестящие рыночные программы.

Внезапная усталость после еды (послеобеденная сонливость) знакома всем, кто работает. Поймите — это признак гипогликемии! Он является последствием плохой организации питания, наихудшим примером которого являются "пиво и сэндвичи"

Вопреки общепринятому мнению, вино не вызывает сонливости, если его не пить на пустой желудок, как это делают в большинстве случаев. Алкоголь усиливает воздействие сахаров, поэтому при его употреблении с гипергликемическими продуктами (белым хлебом, картофелем, макаронами, пиццей и пр.) состояние гипогликемии наступает быстрее. Ничто не вызывает слабость так быстро, как пиво или виски с колой, особенно если их пить на пустой желудок. Следует запомнить, что большинство хронических или случайных симптомов усталости, от которых страдают современные люди, связано с возникающей в результате плохого питания гипогликемией.

Нам также известно, что на уровень содержания сахара могут влиять эмоциональные факторы. Ослабление внимания ведет к нарушению секреции адреналина или инсулина, вызывая впоследствии гипогликемию.

Прежде чем закончить эту главу, необходимо подчеркнуть, что реакция на гипогликемию (и ее симптомы) субъективна и зависит от индивидуальной чувствительности. Вы, конечно, заметили, что в комнате с постоянной температурой некоторые люди раздеваются, тогда как другие стремятся надеть на себя что-нибудь еще. То есть при одинаковой температуре одним холодно, в то время как другим слишком жарко.

Каждый человек имеет собственную систему терморегуляции и пищевой рацион, вполне удовлетворяющий энергетические потребности одного, может быть совершенно недостаточным для другого.

Та же идея применима и к гипогликемии. Проявление симптомов крайне индивидуально.

Некоторые люди близки к обмороку уже при уровне сахара в крови 0,70 г/л, тогда как другие могут чувствовать себя отлично при уровне 0,50 г/л. Конечно, потеря сознания может быть исходно вызвана выделением адреналина, например, при стрессовом состоянии. Если в этот момент измерить содержание глюкозы в крови, оно будет нормальным.

С другой стороны, спустя некоторое время содержание глюкозы может понизиться, что будет способствовать ухудшению состояния.

Современное научное мышление, по существу, требует большой точности, и это справедливо. Однако при данном способе мышления ученые считают явление научно обоснованным, только если это подтверждено статистически при исследовании большого количества объектов. Они исходят из предпосылки, что все объекты примерно одинаковы. То, что может быть доказано для одного, должно быть правильным для другого.

Именно из-за этого основного принципа гомеопатия (которую в настоящее время приняли в качестве эффективного метода лечения многих заболеваний) никогда не признавалась официальной медициной. Она по-прежнему отвергается медицинскими авторитетами как принципиальный метод, вопреки тому, что врачи используют этот метод.

Фактически гомеопатический метод не может быть "обоснован". Основанный на индивидуальной чувствительности организма, он не вписывается в рамки классической модели научного контроля. Как можно измерить поле с помощью весов?

В настоящее время общепризнанно, что большинство симптомов, о которых мы говорили, объясняется отклонением уровня содержания глюкозы в крови. Однако, ряд ученых все еще выступает против установления корреляционной зависимости между этими явлениями, так как необходимые для этого количественные показатели индивидуальны.

Будем надеяться, что здравый смысл, наблюдения и опыт в конце концов одержат победу.

Другие причины утомления

1. Плохой выбор макрокомпонентов питания

Утомление может быть вызвано недостаточным потреблением белков.

Организм может испытывать недостаток белка в результате плохо сбалансированной и слишком ограниченной диеты.

Этот относительный дефицит может иметь некоторые последствия:

— увеличение веса из-за расстройства обмена веществ;

— истощение мышечной ткани, из-за которого вы испытываете чувство утомления при малейшем усилии;

— замедление роста у детей.

Избыточное содержание жиров в пище также приводит к снижению жизненной энергии. Избыточное потребление жиров существенно замедляет пищеварение, продолжительность которого может увеличиться до четырех — пяти часов. Это приводит к неприятному ощущению тяжести в желудке и сонливости.

2. Недостаток микрокомпонентов питания

Недостаток витамина В также приводит к появлению чувства усталости. Особенно заметно это проявляется у больных алкоголизмом, у беременных женщин, страдающих токсикозом, и у спортсменов. Вам должно быть известно, что витамины группы В растворимы в воде и легко вымываются из овощей и крахмалсодержащих продуктов в процессе их варки в воде. Поэтому рекомендуется сохранять овощной бульон для приготовления супа.

Другие причины усталости, связанные с недостатком микрокомпонентов питания:

— когда уровень витамина В6 в крови снижается после принятия лекарств;

— при недостатке витамина В9 (фолиевая кислота), что имеет место у беременных женщин и пожилых людей;

— при недостатке витамина В12, что часто бывает следствием вегетарианской диеты;

— недостаток витамина С часто беспокоит курильщиков и людей, которые едят недостаточно фруктов и сырых овощей. Нехватка этого витамина также снижает устойчивость к инфекциям и препятствует накоплению железа;

— недостаток в организме магния может привести к спазмалгии и большей уязвимости при стрессах;

— недостаток железа, который очень часто наблюдается у женщин, является причиной анемии, инфекций и чувства усталости;

— дефицит антиокислителей (бета-каротина, витаминов С и Е, цинка и селена) затрудняет борьбу со свободными радикалами , которые способствуют преждевременному старению, появлению сердечно-сосудистых и онкологических заболеваний.

3. Неправильное использование алкогольных напитков

Способ употребления алкогольных напитков может влиять на ваш энергетический уровень. Не рекомендуется пить алкогольные напитки на голодный желудок, поскольку это может вызвать мигрени, головокружение и привести к различным несчастным случаям из-за ослабления внимания. К тем же последствиям приводит избыточное потребление алкоголя во время еды.

Женщины более чувствительны к алкоголю, чем мужчины, поскольку ферментная система их печени менее продуктивна.

Вторичное влияние алкоголя проявляется в обезвоживании организма, так как алкоголь оказывает потогонное и мочегонное воздействие.

Как правило, однопроцентное обезвоживание уменьшает силу мышц на 10%, а двухпроцентное обезвоживание — на 20%. В результате этого без всякой причины возникает ненормальное чувство усталости.

4. Сверхчувствительность к загрязнению продуктов питания

Влияние накапливаемых в организме больших доз пестицидов, гербицидов, фунгицидов, остатков антибиотиков, свинца и ртути за период, превышающий несколько десятилетий, изучено недостаточно.

Уже зарегистрированы случаи отравления бета- ферментами, содержащимися в потрохах, а также аллергические реакции на некоторые красители, не говоря уже о поносе в результате сальмонеллеза и нескольких редких вспышек трихинозиса.

В каждом их этих случаев наблюдались симптомы усталости.

Поэтому важно, по возможности, выбирать экологически чистые продукты питания, производимые на фермах без применения химических удобрений и ядохимикатов, поскольку они содержат больше питательных микрокомпонентов и не содержат вредных химических веществ.

Таблица витаминов

Витамины	Роль	Источники	Дополнительные факторы риска	Симптомы дефицита
A ретинол	Рост, Зрение, Состояние кожи	Печень, яичный желток, молоко, масло, шпинат, томаты, абрикосы	Курение, Злоупотребление спиртными напитками, Контрацептивы, Вирусный гепатит, Барбитураты	Слабое зрение в темноте, Чувствительность к свету, Чувствительность кожи к солнечным лучам, Восприимчивость к инфекциям ушей и носоглотки
Провитамин A бета-каротин	Предохраняет от сердечно-сосудистых заболеваний, старения и рака	Морковь, кресс-салат, шпинат, манго, дыня, абрикосы, брокколи, персики, масло		
D кальциферол	Минерализация костных тканей и зубов, Метаболизм фосфата кальция	Печень, тунец, сардины, яичный желток, грибы, масло, сыр, солнечные лучи	Недостаток солнечного облучения, злоупотребление солнцезащитными кремами, Пожилые люди, которые не выходят на улицу	Дети: рахит Пожилые люди: остеомиализ (+ остеопороз) = деминерализация костей

171

Витамины	Роль	Источники	Дополнительные факторы риска	Симптомы дефицита
Е токоферол	Антиокислитель, защита от свободных радикалов и полиненасыщенных жирных кислот, Защита от сердчено-сосудистых заболеваний и предотвращение некоторых видов рака	Растительные масла, лесной орех, миндаль, цельные злаки, Молоко, масло, яйца, черный шоколад, хлеб из цельной муки грубого помола		Истощение мышечной ткани, риск возникновения сердечно-сосудистых заболеваний, старение кожи
К менадион	Свертываемость крови	Синтезируется кишечными бактериями; Содержится в печени, кочанной капусте, шпинате, яйцах, брокколи, мясе, цветной капусте	Продолжительное лечение антибиотиками; Злоупотребление слабительными; Недоношенные дети	Кровотечения
В1 тиамин	Нейро-мускульные функции Метаболизм карбогидратов диабет; беременность; мочегонные препараты	Дрожжи, пророщенная пшеница, свинина, отруби, рыба, цельные злаки, хлеб грубого помола	Употребление продуктов, вызывающих гипергликемию	Усталость, раздражительность; Потеря памяти; Снижение аппетита; Депрессия, мышечная слабость

Витамины	Роль	Источники	Дополнительные факторы	Симптомы дефицита
B2 рибофлавин	Метаболизм карбогидратов, жиров, белков; Клеточное дыхание; Зрение	Дрожжи, печень, почки, сыр, миндаль, яйца, рыба, молоко, какао	Злоупотребление спиртными напитками; недостаток в рационе молочных продуктов и сыра	Перхоть; Прыщи; Чувствительность к свету, Ломкие, безжизненные волосы Язвы на губах и языке
PP или витамин B3, или ниацин, или никотиновая кислота	Обеспечение организма энергией через участие в окислительно-восстановительных реакциях	Сухие дрожжи, отруби, печень, мясо, почки, рыба, хлеб грубого помола, финики, бобовые, флора кишечника	Злоупотребление спиртными напитками; Лечение болезни Паркинсона; Вегетарианская диета; Избыточное потребление кукурузы	Усталость, бессонница, потеря аппетита, повреждения кожи и слизистых оболочек
B5 пантотеновая кислота	Поддерживает многие функции энергетического метаболизма Состояние кожи, волос, слизистых оболочек	Сухие дрожжи, почки, яйца, мясо, грибы, злаки, бобовые	Злоупотребление спиртными напитками; высокое содержание в рационе консервированных и замороженных продуктов	Усталость, тошнота, головные боли, рвота, психозы; Низкое кровяное давление; Проблемы с осанкой; выпадение волос
B6 пиридоксин	Метаболизм белка; Синтез лецитина; Присутствует в 60 ферментных системах	Дрожжи, ростки пшеницы, соя, печень, почки, мясо, рыба, бурый рис, авокадо, бобовые, хлеб грубого помола	Прием лекарств, Злоупотребление спиртным	Усталость Депрессия Раздражительность Головокружение Тошнота Поражения кожи Страстное желание чего-нибудь сладкого Головные боли

Витамины	Роль	Источники	Дополнитель-ные факторы риска	Симптомы дефицита
B8 биотин	Принимает участие во многих клеточных реакциях	Флора кишечника, дрожжи, печень, почки, шоколад, яйца, грибы, курица, цветная капуста, бобовые, мясо, хлеб грубого помола	Длительное применение антибиотиков; Употребление слишком большого количества сырых яиц	Усталость, потеря аппетита; Тошнота, мышечная усталость; Жирная кожа, выпадение волос; Бессоница, депрессия; Расстройства нервной системы
B9 фолиевая кислота	Метаболизм белка; Клеточное производство	Дрожжи, печень, устрицы, шпинат, кресс-салат, зеленые овощи, бобовые, хлеб грубого помола	Злоупотребление спиртным, беременность, старость, большое количество лекарств, приготовление пищи, анемия	Усталость Потеря памяти Бессонница Депрессия Умственное помешательство в старости Медленное заживление Расстройства нервной системы
B12 цианокобаламин		Печень, почки, устрицы, сельдь, рыба, мясо, яйца	Вегетарианская диета, недостаток кобальта	Усталость, раздражительность, бледность, анемия, потеря аппетита, расстройство сна, невромускульные боли, потеря памяти, депрессия

Витамины	Роль	Источники	Дополнитель-ные факторы риска	Симптомы дефицита
С аскорбино-вая кислота	Принимает участие во многих обменных реакциях в клетках и тканях (поглощение железа); Улавливает свободные радикалы; Участвует в формирова-нии кол-лагена и соединитель-ных тканей; Синтез L-карнитина; Помогает бороться со стрессами	Плоды шипов-ника, черная смородина, пе-трушка, киви, брокколи, зе-леные овощи, цитрусовые, печень, почки	Курение Недостаток фруктов и сы-рых овощей в питании Макро биотиче-ская диета Стрессы Затянувшаяся инфекция	Усталость, Вялость, Потеря аппе-тита, Боли в мыш-цах, Низкая сопро-тивляемость инфекциям, Затрудненное дыхание

Глава VII

ПРЕДОТВРАЩЕНИЕ СЕРДЕЧНО-СОСУДИСТЫХ ЗАБОЛЕВАНИЙ

Население современных городов (как мужчины так и женщины) подвержено высокому риску в отношении сердечно-сосудистых заболеваний.

От коронарного тромбоза ежегодно страдают около 110 тысяч человек, а смертность от коронарного артериосклероза составляет 50 000 человек.

Среди других стран Франция по данным показателям занимает предпоследнее место, уступая лишь Японии, хотя следует отметить, что уровень сердечно-сосудистых заболеваний по отношению к численности населения здесь также достаточно высок. Заболеваемость в этой стране в три раза ниже, чем в США, в четыре раза ниже, чем в Финляндии (стране наибольшего риска) и намного ниже, чем в Англии, Канаде, Норвегии и Германии.

Хотя многие специалисты на основании многочисленных исследований признают, что гипергликемия как фактор риска может быть выдвинута на первый план, они считают, что существуют и другие факторы, оказывающие на эти заболевания еще большее влияние. К ним относятся курение, повышенное кровяное давление, наследственность, диабет, а также "множество других причин, о которых мы, вероятно, еще не знаем". Каждый знает, что наиболее частой причиной смерти в мире являются сердечно-сосудистые заболевания. Однако, как любит подчеркивать профессор Афельбаум, мы часто не осознаем, что средний возраст людей, умирающих от сердечно-сосудистых заболеваний, колеблется между 70–75 годами, то есть близок к уровню средней продолжительности жизни.

Риск сердечно-сосудистых заболеваний различен для мужчин и женщин

Мужчины наиболее подвержены этому риску в возрасте 35–55 лет, в то время как женщины до начала менопаузы имеют гормональную защиту от этих заболеваний. После начала менопаузы риску подвержены только те женщины, которые не проходят курс гормональной терапии.

Только в возрасте около 70 лет при старении сосудов появляется риск сердечно-сосудистых заболеваний.

Все международные исследования показали, что снижение уровня холестерина (фактора риска) приводило к снижению смертности от коронарного тромбоза. Однако, при этом не отмечалось пропорционального уменьшения общей смертности.

Это явление наблюдалось в США, где с 1985 года проводилась мощная антихолестериновая кампания, которая в настоящее время привела к такому истеричному, близкому к паранойе, отношению к холестерину, на которое способны только американцы.

Они использовали все способы, чтобы снизить чрезвычайно высокий уровень сердечно-сосудистых заболеваний. Доктор Ленфант подчеркнул, что "каждые восемь секунд один американец будет умирать от сердечного приступа".

Необходимо отметить, что у сорока миллионов взрослых американцев уровень холестерина значительно выше нормы.

Около десяти профессиональных медицинских ассоциаций, страховых компаний, фармацевтических отраслей и агропродовольственных фирм создали экспертную комиссию для разработки "рекомендаций".

Их рекомендации были широко распространены средствами массовой информации среди различных слоев населения. Пятьдесят тысяч врачей распространили брошюры по обучению пациентов. С диетологами и медсестрами, а также с другим медицинским персоналом проводились специальные занятия.

Эта широкая кампания, направленная на то, чтобы каждый человек знал свой уровень холестерина, безусловно, оказала влияние на жизненные привычки американцев. В то же самое время пищевая промышленность пустилась в погоню за эксплуатацией нового рынка продуктов "без холестерина". Все продукты, содержащие хоть немного жира, неоправданно устранялись. Масло, о котором сейчас говорят: "Это выглядит как масло, у него вкус как у масла, но это не масло". Это лишь еще один синтетический продукт, псевдозаменитель масла.

Объектами такой же индустриальной обработки стали продукты из свинины и сыр. Жиры удаляли и продукту снова придавалась форма и привлекательный вид. Преимущество для потребителя состояло в том, что он ощущал вкус жиров не употребляя их.

Осуждая такую обработку, профессор Слама был в праве предположить, что человеческий организм не позволит ввести себя в заблуждение без того, чтобы тем или иным образом не отреагировать на обман. Зная сложность множества механизмов, которые сразу начинают действовать после того, как вы съели продукт, непосредственно после первых ощущений (нейромедиаторы, гормоны, ферменты) мы должны опасаться наихудших форм нарушения равновесия.

Эта практика выглядит еще более сомнительно для французов с их традиционными и натуральными продуктами питания. Получив высокую гастрономическую оценку, эти продукты считаются одними из лучших в мире с точки зрения статистических данных по смертности от коронарных заболеваний.

Однако приведенные выше доводы не являются достаточной причиной, чтобы перестать обращать внимание на слишком высокий уровень холестерина (гиперхолестеролемию). Не впадая в состояние одержимости, как это происходит в Соединенных Штатах, нам, тем не менее, следует объективно оценивать значение повышенного содержания холестерина для нашего здоровья, и знать, какие простые меры предосторожности против этого могут быть приняты при выборе продуктов питания.

Холестерин полезен для вашего здоровья!

Холестерин не всегда приносит вред, как мы можем подумать. Напротив, он является необходимым веществом для нашего организма.

Следует обратить внимание, что холестерин поступает в организм из двух источников: 70% его синтезируется печенью, то есть производится самим организмом, и только 30% поступает с пищей.

Когда вы следуете диете, полностью исключающей поступление холестерина извне (например, едите только вареную морковь), а его уровень в крови по каким-то другим причинам остается высоким, близким к критическому, накопление холестерина происходит иным способом. Именно этот случай заставил профессора Апфельбаума заявить, что "холестерин в пище и холестерин в крови взаимосвязаны очень слабо, а у некоторых людей эта связь вовсе отсутствует".

Холестерин является обязательным компонентом для строительства клеточных мембран и образования желчи, из него синтезируются некоторые гормоны. Он переносится в крови белковыми молекулами, которые выполняют транспортную функцию. Эти белки относятся к двум категориям:

— липопротеины с низкой плотностью (ЛНП) разносят холестерин в клетки артериальных стенок, покрытые жировыми отложениями.

ЛНП-холестерин называют "плохим холестерином", поскольку он на большом протяжении покрывает с внутренней стороны стенки кровяных сосудов, блокируя их.

Блокирование артерий может привести к возникновению сердечно-сосудистых заболеваний по следующим причинам:

— воспаление артерий в конечностях;

— стенокардия или коронарный тромбоз;

— заболевания сосудов мозга, которые могут привести к параличу.

— липопротеины с высокой плотностью (ЛВП), поставляющие холестерин в печень, которая удаляет его из организма.

ЛВП-холестерин называют "хорошим холестерином", поскольку он не откладывается в сосудах. Напротив, он способствует очищению артерий от склеротических отложений. Из этого легко понять, что чем выше содержание ЛВП-холестерина, тем меньше риск возникновения сердечно-сосудистых заболеваний.

Уровень холестерина в крови

Современные стандарты являются намного более строгими, чем те, которые использовались ранее. Необходимо отметить три пункта:

1 — общее содержание холестерина должно быть ниже или равно 2 г. на литр крови;

2 — уровень ЛНП-холестерина должен быть ниже 1,3 г/л;

3 — уровень ЛВП-холестерина должен быть выше 0,45 г/л у мужчин и 0,55 г/л у женщин.

Риск сердечно-сосудистых заболеваний

Риск сердечно-сосудистых заболеваний увеличивается в два раза, если уровень холестерина составляет 2,2 г/л, и в четыре раза, если его содержание превышает 2,6 г/л. Было замечено, что около 15% коронарных тромбозов возникало при уровне холестерина ниже 2 г/л. Очевидно, данная теория не всегда подтверждается.

Наиболее важным является количество ЛНП- и ЛВП- холестерина и, прежде всего, отношение общего холестерина к

ЛВП- холестерину, а также то, что содержание холестерина не должно превышать 4,5. 45% французов имеет уровень холестерина близкий к нормальному и около восьми миллионов имеет уровень общего холестерина выше 2,5 г/л. Вы осознаете важность этих показателей, когда поймете, что снижение холестерина на 12% может уменьшить число коронарных тромбозов на 19%.

Необходимые изменения в питании

В случае повышенного содержания холестерина в крови врач может прописать вам определенное лечение, но это — крайняя мера.

В большинстве случаев оказывается достаточным правильное управление питанием.

Далее приведены рекомендации, которым вы можете следовать, чтобы снизить уровень холестерина, если он слишком высок, а также чтобы сохранить его нормальный уровень в будущем.

1. Похудейте

Было замечено, что снижение веса (если он был избыточным) в большинстве случаев приводит к нормализации всех биологических параметров. Снижение уровня холестерина определенно будет первым видимым улучшением при условии, если вы не употребляете избыточное количество плохих жиров.

2. Ограничьте поступление холестерина с пищей

Некоторые продукты, такие как яичный желток и потроха, характеризуются высоким содержанием холестерина. В течение длительного времени Всемирная Организация Здравоохранения советовала не употреблять свыше 300мг холестерина в день. Однако, последние работы доказали, что, как ни парадоксально, этот аспект диеты имеет второстепенное значение, и что поступление с пищей 1000 мг холестерина в день повышает его уровень в крови лишь на 5%.

Последние публикации показали, что употребление яиц оказывает гораздо меньшее влияние, чем думали раньше. Оказалось, что высокое содержание в яйцах лецитина нейтрализует находящийся в них холестерин. Вы можете забыть о количестве холестерина в продуктах питания, однако при их покупке обращайте внимание на степень насыщенности жирных кислот, употребляемых вами.

3. Избирательно подходите к употребляемым липидам (жирам)

Как мы узнали из главы, посвященной питательному составу продуктов, жиры следует относить трем к категориям.

а. Насыщенные жиры

Они содержатся в мясе, продуктах из свинины, яйцах, молоке, молочных продуктах, сыре и пальмовом масле, а также в печенье, пирожных и других кондитерских изделиях. Эти жиры теоретически поднимают уровень общего и, прежде всего, ЛНП-холестерина, который откладывается на стенках артерий и приводит к сосудистым заболеваниям.

Что касается домашней птицы, то после удаления кожи, содержание насыщенных жиров в ней достаточно низкое. Поэтому ее употребление незначительно влияет на уровень холестерина в крови.

б. Полиненасыщенные жиры животного и растительного происхождения.

— Полиненасыщенные жирные кислоты животного происхождения преимущественно содержатся в жире рыб.

В течение длительного времени думали, что эскимосы, чья пища содержит большое количество рыбьего жира, не подвержены сердечно-сосудистым заболеваниям по генетическим причинам. Затем стало ясно, что причиной является природа употребляемых ими продуктов питания, которые предохраняли их от этих заболеваний.

Употребление рыбьего жира действительно приводит к снижению ЛНП-холестерина и триглицеридов, а также разжижает кровь, что уменьшает риск возникновения тромбозов.

Из этого следует, что, вопреки существовавшему длительное время убеждению, чем больше в рыбе жира, тем более благоприятное воздействие она оказывает на уровень холестерина. Поэтому рекомендуется употребление лососевых, тунца, макрели, анчоусов и сельди.

— Полиненасыщенным жирным кислотам растительного происхождения длительное время отводили очень важное место, так как они снижали общий уровень холестерина. Однако было замечено, что снижая уровень ЛНП-холестерина (желательный результат), они также снижают и содержание ЛВП-холестерина, что не идет на пользу человеку.

Они содержатся в подсолнечнике, рапсе, грецких орехах, виноградном масле. Склонность этих кислот к окислению опасна для артерий.

То же самое можно сказать о вырабатываемом из них маргарине.

Проведенные недавно исследования среди 17 000 американских медсестер показали, что маргарин действительно способствует отложению жиров на стенках кровеносных сосудов.

с. Мононенасыщенные жиры

Они наиболее предпочтительны. Лучшей из них является олеиновая кислота, содержащаяся в оливковом и рапсовом масле. Можно подтвердить, что оливковое масло является чемпионом мира среди всех жиров, оказывающих благотворное влияние на уровень холестерина. Фактически только оно способно снижать содержание плохого холестерина (ЛНП), увеличивая содержание хорошего (ЛВП).

Ясно, что тунец, употребляемый с оливковым маслом, является истинным противоядием по отношению к холестерину.

Мы также знаем, что гусиный и утиный жир, особенно если их откармливали для приготовления паштета из печени, относится к категории мононенасыщенных жирных кислот.

Паштет из гусиной печени и другие консервы из утки и гуся можно есть с чистой совестью, поскольку они благотворно влияют на сердечно-сосудистую систему.

4. Увеличьте потребление с пищей клетчатки

Присутствие клетчатки в пищеварительном тракте действительно улучшает метаболизм жиров. Также было отмечено, что потребление пектина (например с яблоками) приводит к заметному снижению уровня холестерина. Это также характерно для любой растворимой клетчатки, как, например, клейкое вещество, содержащееся в белой фасоли или морских водорослях.

5. Полезно выпить вина

Профессор Масквелиер показал, что вино повышает уровень "хорошего холестерина" (ЛВП) и что полифенолы, содержащиеся в вине, защищают артериальные стенки.

Статистические данные показывают, что страны, где население регулярно употребляет вино (Франция, Италия, Испания, Греция и др.), относятся к группе с наименьшим уровнем смертности от сердечно- сосудистых заболеваний.

6. Измените к лучшему ваш образ жизни

Стрессы, курение, мало подвижный образ жизни также оказывают негативное влияние на уровень холестерина и артерии. Улучшение образа жизни необходимо не только для того, чтобы избавиться от проблем, но и как профилактическая мера.

Средиземноморская диета

Модель питания в этих странах вероятно является лучшей защитой от сердечно-сосудистых заболеваний.
Это связано со следующими особенностями питания:
— обилие рыбы (при небольшом потреблении мяса);
— овощи и особенно лук;
— бобовые (белая фасоль, чечевица, фасоль, горох);
— плоды: цитрусовые и грецкие орехи;
— хлеб, богатый клетчаткой;
— кисломолочные продукты (йогурт);
— чеснок;
— оливковое масло (при малом потреблении сливочного масла);
— вино.
Остров Крит, где население регулярно пьет вино и употребляет большое количество оливкового масла, является Европейским регионом с наиболее низким уровнем сердечно-сосудистых заболеваний.

7. Подумайте о сокращении избыточного выделения инсулина

Многие американские врачи поражены тем, что отказ от содержащих холестерин продуктов, так же как и отказ от жиров не всегда приводит к существенному снижению уровня холестерина у их пациентов.

Однако было показано, что употребление продуктов с низким гликемическим индексом нормализует выделение инсулина, что в свою очередь способствует улучшению показателей крови (холестерина, триглицерида). При этом употребление с пищей жиров и холестерина не уменьшилось, а в некоторых случаях даже увеличилось.

Доктор М. С. Бетеа, хирург и кардиолог большого Баптистского Госпиталя Милосердия в Новом Орлеане, имел возможность подтвердить это статистически на примере своих пациентов, после того как применил Метод Монтиньяка у себя в отделении.

8. Старайтесь предотвратить избыточное содержание триглицеридов в крови

Даже само по себе это отклонение в настоящее время признано полноправным фактором риска для возникновения сердечно-сосудистых заболеваний. Его вызывает в большей мере употребление спиртного, нежели сахара. Чтобы избежать этого на практике вы должны:

— чаще есть жирную рыбу;

— употреблять углеводы с низким гликемическим индексом;

— избегать сладостей и спиртных напитков.

9. Все, что вам необходимо знать

Согласно данным профессора С. Ренауду, специалиста по жирам и директора научного отдела в Национальном Научно-Исследовательском Институте Франции, содержащиеся в сыре насыщенные жирные кислоты, которые отвечают за холестерин, образуют нерастворимые соли в соединении с кальцием, которые плохо поглощаются кишечником. Следовательно сыр представляет гораздо меньшую опасность для уровня холестерина, чем считали до сих пор.

Другие исследования также показали, что приготовление сыра из непастеризованного молока при естественном процессе ферментации, приводит к истинному преобразованию природных жиров. Молекулярная структура насыщенных жиров изменяется настолько, что их поглощение кишечником полностью нейтрализуется.

Традиционные сыры из непастеризованного молока вероятно не оказывают вредного воздействия на сердечно-сосудистую систему (см. диаграмму ниже).

Пищевые жиры (липиды) на 98% состоят из триглицеридов, сформированных из одной спиртовой молекулы (глицерина) и трех молекул жирных кислот.

$$\text{Жирные кислоты (1)}$$

$$\text{Глицерин} + \qquad \text{Жирные кислоты (2)}$$

$$\text{Жирные кислоты (3)}$$

Среди насыщенных кислот только кислота в позиции 2 хорошо абсорбируется стенками кишечника. Как правило, естественная ферментация непастеризованного молока, которая изменяет молекулярную структуру жиров, в значительной мере удаляет жирные кислоты в позиции 2.

Таким образом, даже при высоком содержании насыщенных кислот в непастеризованном сыре, их количество, поглощаемое кишечником, незначительно.

Нужно отметить, что высокий уровень холестерина, даже при малом количестве поглощаемых насыщенных кислот, может быть связан с нехваткой витамина PP.

Общие рекомендации для людей с повышенным содержанием холестерина в крови

— Похудейте, если вы имеете избыточный вес.

— Уменьшите потребление мяса (оно не должно превышать 150 граммов в день

— Выбирайте постные сорта мяса (домашняя птица, постная говядина).

— Отдавайте предпочтение мясу домашней птицы (без кожи).

— Избегайте изделий из жирной свинины и потрохов.

— Отдавайте предпочтение рыбе (по крайней мере 300 граммов в неделю).

— Не ешьте много сливочного масла (максимум 10 граммов в день) и маргарина.

— Употребляйте обезжиренное молоко и обезжиренные молочные продукты.

Ешьте йогурты.

— Увеличьте употребление клетчатки (фруктов, сырых злаков, овощей и бобовых).

— Увеличьте употребление моно- и полиненасыщенных растительных жиров (оливкового, подсолнечного, рапсового, кукурузного масла).

— Убедитесь, что вы употребляете достаточно витаминов А, РР, С и Е, а также микроэлементов селена и хрома (пивные дрожжи).

— По возможности пейте вино, богатое танином (максимальное количество не должно превышать 0,5 бутылки в день).

— Следите за вашим психологическим состоянием.

— По возможности занимайтесь спортом.

— Бросьте курить.

Глава VIII

ПИТАНИЕ И СПОРТ

Если вам представится возможность прогуляться по улицам Нью-Йорка перед началом дня, часов в пять утра, вы обязательно обратите внимание на любителей бега, раскрасневшихся и вспотевших несмотря на их легкую экипировку.

Не обращая внимания на высокий уровень загрязнения воздуха, который благополучно используют их возбужденные легкие, эти ранние пташки, спортсмены и спортсменки, приносят себя в жертву ритуалу, который с некоторых пор внесен в список правил идеального американского горожанина.

В отличие от нескольких демонстративно выставляющих себя на показ марафонцев, большинство из этих неутомимых утренних бегунов искренне считают, что только ежедневные интенсивные физические нагрузки сделают осуществимой их мечту соответствовать общепринятым нормам. Эти люди полагают, что бег спасет их от ожирения, даже если они будут есть так же много картофеля, как и остальные представители этой нации.

Несмотря на то, что средний вес американцев растет, они все еще убеждены, что лучшее средство похудеть — это, во-первых, следить за калориями, и, во-вторых, тратить больше энергии.

Более разумные парижане вполне удовлетворяются тем, что субботним утром совершают несколько кругов вокруг озера в Булонском лесу. И делается это не только для того, чтобы немного подышать свежим воздухом, но и для того, чтобы встретиться с друзьями. Позже многие из них продолжают укреплять свои мускулы, прибегнув к помощи обильной французской пищи, чтобы только возвратить энергию, которую они якобы потратили!

В 1989 году проведенный большим французским еженедельником опрос показал, что 66% французов считают занятие спортом наилучшим способом похудеть.

На деле это — предвзятая теория, которая все больше вызывает недоумение, поскольку растет число людей, пытавшихся ей следовать и не достигнувших успеха.

Идея сбросить вес с помощью физических упражнений без изменения привычек питания полностью иллюзорна. Нельзя отвергать тот факт, что занятие спортом увеличивает расход энергии, однако расход этот гораздо ниже, чем это можно было предположить.

Работы доктора Монденарда наглядно показали, что для того, чтобы потерять один килограмм, необходимо потратить на физические упражнения несколько часов.

То есть, для того, чтобы потерять пять килограммов за четыре месяца только с помощью спортивных занятий, вы должны будете бегать по полтора часа пять раз в неделю.

Регулярно применяемые спортивные занятия	Время, необходимое для потери 1 кг жира с помощью спортивных занятий	
	Мужчины (часы)	Женщины (часы)
Нормальная ходьба	138	242
Быстрая ходьба	63	96
Гольф	36	47
Езда на велосипеде	30	38
Плавание свободным стилем	17	21
Бег трусцой	14	18
Теннис	13	16
Сквош (игра в мяч)	8	11

Учитывайте запас жизненных сил!

Все, кто занимается физическими упражнениями, должны понять, что если продолжать тренировки, потеря веса гарантирована после того, как вы перейдете определенную границу. Так одно занятие физическими упражнениями в течение часа будет более эффективно, чем три занятия по полчаса в один и тот же день.

Когда вы отдыхаете, организм использует в качестве топлива циркулирующие в крови жирные кислоты и АТФ, которая находится в мышцах.

Как только вы начнете заниматься интенсивными физическими упражнениями, организм будет "выкачивать" гликоген из мышц. Этот гликоген будет использоваться в качестве единственного источника энергии примерно в течение двадцати минут.

После первых двадцати пяти минут упражнений половина необходимой энергии будет поступать из гликогена, а другая половина будет получена путем трансформации запасов жира (липолиз).

По истечении сорока минут упражнений организм, чтобы сберечь оставшийся гликоген, будет использовать для получения энергии, в основном, жиры. Следовательно, запасы жира начнут таять только после сорокаминутной непрерывно продолжающейся физической нагрузки.

Если, предположим, вы занимаетесь физкультурой три раза в день по двадцать минут, энергетическим источником для этого будет служить гликоген, и его запасы будут каждый раз пополняться в процессе приема пищи в перерывах между занятиями.

Чтобы достигнуть убедительных результатов, необходимо регулярно заниматься тренирующими выносливость видами спорта (велосипед, бег трусцой, плавание и пр.) не менее сорока минут по крайней мере три раза в неделю. Если вы бросите занятия, это за три дня сведет на нет все достигнутые ранее результаты. Кроме того, спортсмены должны принять привычки питания в соответствии с принципами, изложенными в этой книге, и предотвращать малейший риск возникновения гипогликемии.*

Начинать заниматься спортом необходимо медленно, избегая без предварительной подготовки резкого увеличения времени тренировок. Ваш организм должен постепенно привыкать к нагрузкам, чтобы приспособить к ним свои физиологические функции.

Спорт может принести вам пользу!

Занятия спортом очень полезны, если подходить к ним разумно. Они способствуют ведению более здорового образа жизни и насыщению организма кислородом.

Человеческое тело (как и любой его орган) в действительности только атрофируется, если его не использовать.

Физические упражнения — это своего рода постоянное обновление, которое помогает, кроме всего прочего, бороться с процессом старения, улучшая функции сердца и легких.

Даже если в результате занятий ваш вес останется прежним, жировые отложения постепенно будут заменены, мышцами и ваша фигура станет более изящной.

Мышечная активность может существенно помочь в "перестройке" организма, в "обновлении", на которое рассчитаны рекомендации, приведенные в этой книге.

В результате занятий спортом повышается устойчивость организма к глюкозе и менее ощутимы последствия избыточного выделения инсулина (фактора, способствующего появлению гипогликемии и ожирению). Это происходит прежде всего потому, что физические упражнения ускоряют процесс нормализации избыточного выделения инсулина.

К тому же они способствуют нормализации кровяного давления и уровня содержания холестерина.*

---

* Интенсивный уровень занятия спортом требует гораздо более сложного питания и основанного на особых правилах, индивидуальных для каждого вида спорта. Эти правила требуют слишком детального изложения, чтобы быть упомянутыми в этой книге.

* Перед тем как заняться спортом, мужчины старше сорока должны пройти обследование сердечно-сосудистой системы с помощью электрокардиограммы, что позволит установить допустимые нормы.

Разумное занятие спортом может быть очень полезным и для психологического состояния, потому что вы откроете возможности своего собственного тела и почувствуете себя моложе.

Возможно, поначалу вы будете воспринимать спортивные занятия как дополнительную работу, но очень скоро это станет для вас истинным источником хорошего самочувствия, поскольку ваше состояние будет улучшаться.

После того как вы похудеете, общее улучшение обмена веществ в результате физических упражнений может служить дополнительной гарантией стабилизации веса и жизнедеятельности.

Не сворачивайте с правильного пути

К сожалению, для нашего общества характерно несколько экстремистское отношение к спорту. Между курящими псевдоспортсменами, "алкоголиками", которые большую часть времени и перерывы между футбольными матчами проводят в пивной или перед телевизором, и сердцеедами средних лет, которые, стараясь сохранить молодость, губят себя, пытаясь соперничать с профессиональными спортсменами, существует золотая середина. Лучше последовать по этому пути.

Не только похмелье или последствия переедания в выходные могут быть причиной прогула в понедельник, но и опрометчивость тех, кто без предварительной подготовки и тренировки и при недостаточном потреблении жидкости, переоценил свои реальные возможности при занятии спортом.

Здоровый подход к питанию, а также разумная и регулярная физическая активность являются необходимыми условиями для того, чтобы встретить вершину лет спокойно, полным энергии и оптимизма. Это также определяется вашим душевным состоянием.

Наблюдая за людьми, которые, чтобы подняться на второй этаж, упрямо ждут в течение пяти минут лифта, или садятся в машину, чтобы в магазине за углом купить сигарет, можно испытывать к ним такое же чувство жалости, какое вы испытывали бы к тем, кто живет на гамбургерах и напитках типа "колы".

ЧАСТЬ II

Женщина — утонченная натура. Во всяком случае, во все времена их называли "слабым полом". Сейчас ученые уверяют нас в том, что женщины более жизнестойки и оптимистичны по сравнению с мужчинами.

Мужчины по своей природе не смогли бы выдержать испытание родами в отличие от слабых женщин. Женщины не только более чувствительные, но и более сложные натуры. Их жизнь на всем протяжении находится под действием гормонов и претерпевает большие изменения.

Женский организм восприимчив к малейшим изменениям, поскольку их регуляторная система представляет собой очень тонкий и уязвимый механизм. Доктора мужчины, к сожалению, часто недооценивают женской ранимости и, как следствие, у женщин часто возникают осложнения при лечении.

Подобная сверхчувствительность организма, усиленная гормональными изменениями в сочетании с плохими привычками в питании, приводит к увеличению веса.

В первой части данной книги я упоминал о правилах питания, необходимых для уменьшения веса и улучшения здоровья. Во второй ее части мы увидим, как они должны применяться женщинами для получения желаемых результатов.

Глава I

РАЗНОВИДНОСТИ ОБРАЗА ЖЕНСКОГО ТЕЛА

Историки, которые будут жить в 2500 году, получат представление о фигуре женщины 20 века, просматривая женские журналы, пестрящие фотографиями изящных фигур. Очевидно, они решат, что все женщины прошлого выглядели именно так. Когда мы рассматриваем картины Рафаэля "Три грации", Рубенса "Сирены" и обнаженные фигуры Ренуара, у нас создается впечатление, что все женщины, изображенные на полотнах, хорошо сложены и упитаны.

Мы не знаем, хотели художники прошлого отразить характерные фигуры современниц или они запечатлели свой женский идеал.

Так и сейчас женские журналы стремятся показать не типичный образ женщины, а мечту их читательниц.

Эталоны красоты

В реальной жизни мы, как правило, поклоняемся образам редким и исключительным. В прошлом люди думали, что полнота является признаком богатства и изобилия. Худые и тощие люди (их называли "истощенными") были распространенным явлением. Наиболее пышные и крупные фигуры считались эталоном красоты.

Поставки продовольствия носили случайный характер. Войны, крестьянские бунты и плохие урожаи в любой момент могли привести к нехватке продовольствия и к голоду. Возможность питаться ежедневно и в достаточном количестве была недоступной роскошью. Люди старались накопить немного драгоценного жира про запас. Продовольствие в любой момент под давлением обстоятельств могло стать нормированным.

К излишнему весу относились как к "страховому полису на все случаи риска", как к гарантии выжить в неурожайные года. Поэтому отношение к полноте было положительным. Излишний вес расценивался как критерий хорошего здоровья и силы. Другими словами, женщины с достаточным запасом жира могли прекрасно выносить ребенка и их пышные бедра не испытывали никаких трудностей во время беременности. Подобная картина до сих пор наблюдается в странах Третьего мира.

Ряд социологов, объясняя эволюцию эталонов женской красоты, утверждают, что они изменились в соответствии с новыми направлениями в моде. Другие полагают, что мода явилась отражением движения за новые формы самовыражения.

В начале нашего столетия Пол Пойретс предложил отказаться от корсетов. Новшество понравилось, и женщины никогда впредь не прятали свои фигуры под пышными одеждами. Наоборот, их платья подчеркивали стройность фигуры и изгибы ее линий. Женская эмансипация, охватившая мир, привела к пропаганде нового стиля одежды, отрицающего женственность. Беспокойство мужской половины, столкнувшееся с женской эмансипацией, и неожиданный выход на первый план идей Фрейда сильно повлияло на существующие идеалы людей.

Чувственность постепенно исчезла с картин. Художники изображали женское тело, используя геометрические фигуры, например Пикассо и Буффе. Одновременно внимание общества сместилось в пользу стройной фигуры. С полнотой и ожирением, охватившим ряд стран и в первую очередь Америку, начали бороться. Кроме того, доктора признали, что излишек веса опасен для здоровья.

Женщины, которые считают себя полными

Иметь "нормальную" фигуру (хотя это понятие зависит от личного восприятия) вполне объяснимое желание каждой женщины. Трудность заключается в том, что многие из них завышают или занижают планку, полагая, что размеры моделей в любимых журналах, где цифры 90–60–90, высеченные навеки в камне, будут легко доступными для них.

Наше общество мыслит стандартно. И если вы не вписываетесь в общепринятые рамки, то на вас тут же вешают ярлык, причисляя вас то к чудакам, то к "уродам".

Молодая девушка с нестандартной фигурой беспокоится, что ни один юноша не обратит на нее внимания. Толстушка боится, что муж изменит ей с каким-нибудь созданием его мечты, а любовница боится быть брошенной ради молодой двадцатилетней особы с идеальной фигурой. Их полнота выдумана ими самими, но во всех своих бедах они винят собственные килограммы. В этом случае им необходимо пересмотреть свои взгляды.

С нашей точки зрения некоторые таблицы расчета идеального веса, которые распространялись в последние годы и были основаны на данных роста человека, не совсем пригодны.

Как узнать свой идеальный вес

Существует 2 способа расчета идеального веса, описанных в различных книгах.

1. Формула Лоренца

$$\text{Идеальный вес} = (\text{рост в см.} - 100) - \frac{\text{рост} - 150}{2}$$

Таким образом при росте 170 см ваш вес должен составлять 60 кг, что можно считать нормальным.

Однако при росте 150 см идеальный вес согласно пропорции, составит 50 кг, что несомненно много с учетом такого роста.

2. Коэффициент массы тела — BMI или формула Кьютела

Этот способ расчета считается лучшим и признан во всем мире.

$$BMI = \frac{W}{H^2},$$

где W — вес в кг,
     H^2 — рост в квадрате, выраженный в метрах

Применив данное соотношение, вы можете подсчитать свой коэффициент массы тела,

— BMI от 20 до 23 — размеры вашей фигуры в норме:
— BMI от 24 до 29 — у вас есть избыточный вес,
— BMI более 30 — можно говорить об ожирении.

В отличие от формулы Лоренца, формула Кьютела более реальна для определения нормального веса.

Распределение жировых клеток в организме

Расчет идеального веса с помощью формул не лучший способ, поскольку вес является суммой нескольких составляющих: вес самого скелета, мускулатуры, вен, воды и жира. Ожирение нельзя рассматривать только как избыток жира. В организме женщины масса жира составляет около 25% веса. Вес женщины-спортсменки немного тяжелее в силу развитой мускулатуры, но у нее нет лишних килограммов.

Поскольку вода составляет 2/3 веса тела и ее количество, особенно до и после менструаций, может колебаться, то происходят изменения веса тела. Следовательно, "похудание" и уменьшение веса — разные понятия. Похудание означает только избавление от излишнего жира. Вес можно временно сбросить за счет уменьшения воды в организме, принимая мочегонные средства, которые часто прописываются для "похудания".

1. Измерение объема жира

Существует только один способ точного измерения объема жира — это специальный прибор наподобие электрокардиографа. Вас подключают к нему и вы видите на экране данные о массе воды, мускулов и жира в вашем организме.

С помощью прибора можно измерить объем жира и проследить за его изменениями в фазе похудания. К сожалению, кабинеты диетологов редко оснащены подобным оборудованием. Да и прибор определяет массу жира, а не места его скопления в организме. Однако это можно сделать методом сканирования или просто измерив соотношение объема талии (на уровне пупка) и объема бедер. В любом случае оно должно быть меньше 0,85.

Рассмотрим различные типы ожирения.

2. Мужской тип ожирения

Если соотношение, упомянутое выше, слишком велико, то можно говорить о мужском типе ожирения, которое проявляется в верхних частях тела — шее, лице, грудной клетке, животе (над пупком).

Мы знаем, что избыток веса мужского типа может вызвать предрасположенность к некоторым заболеваниям, связанным с обменом веществ: диабету, высокому давлению, пониженному содержанию сахара в крови, болезням сердца. При этом типе ожирения размер жировых клеток чрезмерно увеличивается, но число их при этом не меняется. В этом случае похудание легко достижимо.

3. Женский тип ожирения

В случае, когда масса жира преобладает в нижней части тела (нижней части живота, бедрах, ягодицах), мы говорим о женском типе ожирения. При этом не происходят упомянутые выше заболевания обменного характера.

Женщины страдают от болезней вен и артрита, возникающих в тазобедренных и коленных суставах. Данный тип ожирения беспокоит женщин в связи с появлением целлюлита.

4. Глубокие отложения жира

Третий вид жирового распределения был определен недавно. Это избыток желудочного жира, образовавшегося вокруг кровяных сосудов. Эти отложения расположены глубоко и не видны снаружи. Они способствуют возникновению диабета и заболеваний сердечно-сосудистой системы. Курящие женщины рискуют приобрести этот тип отложений, хотя и считают свой вес нормальным.

Поставьте перед собой реальные цели

Показания весов дают частичную оценку вашего веса. Однако это важный фактор, свидетельствующий об успехах в похудании.

Ставьте перед собой реальные и выполнимые задачи. Утопично рассчитывать 50-летней женщине вернуть свой вес к весу в 20 лет. Лучше начинать с малого, продвигаясь вперед шаг за шагом, чем пытаться сразу же достигнуть мифических результатов.

До начала программы похудания задайте себе вопрос, с какой целью это делается. Ведь иногда интерес к своему весу появляется в результате скрытых проблем в семье и браке. Бесспорно, эти проблемы очень серьезны, но желание похудеть не всегда оправдано. Под давлением психологических проблем некоторые женщины начинают внезапно худеть, не предпринимая для этого никаких мер. Избыток веса может служить для женщины бессознательным барьером между собой и миром, между собой и противоположным полом.

Прежде чем худеть, подумайте нужно ли вам это. Если вам не надо худеть, то все равно полезно исправить плохие привычки питания.

Все наши рекомендации по этому вопросу приведены в первой части данной книги.

Если вы не нуждаетесь в Фазе 1 с ее основной целью снижения веса, то использование основных принципов Метода (Фаза 2) будет вполне достаточно для изменения привычек питания. Это поможет не только скорректировать вашу фигуру, но позволит также сделать вашу пищу богаче и разнообразнее, что улучшит физическое и моральное состояние организма. Но это потребует времени.

Глава II

ПИЩА КАК СИМВОЛ

Известно, что не хлебом единым жив человек и что с пищей мы как бы усваиваем различные символы. С едой связаны воспоминания о матери и раннем детстве. Наши традиции в питании являются отражением уровня развития культуры, проявлениями национальной, региональной и религиозной принадлежностей.

Многие из нас не задумываются о таком значении пищи. Они садятся за стол так, как будто собираются заправить бензином автомобиль. Утренний кофе выпивается уже в пальто, а во время обеда, повернувшись лицом к стене в каком-нибудь бистро, проглатывается сендвич или гамбургер в рекордно короткое время.

Многие из нас теряют постепенно идею социальной стороны питания, необходимость общения во время еды. Скорее этот процесс похож на еду собаки, которая подходит к тарелке и поедает бисквиты, когда она голодна. Известный афоризм Бриллат-Саварина гласит: *"Животные добывают себе пищу, человек ест и только умные люди знают как надо есть".*

Отношение к еде как к физиологической потребности, как это произошло в США, привело к неправильному питанию, следствием которого являются избыточной вес и нарушения обмена веществ - диабет, сердечно-сосудистые заболевания и т.д.

К нарушениям системы питания относятся отсутствие режима в приеме пищи, пренебрежение обедом, а в конце дня обильный ужин, который является по сути дела единственной полноценной едой за весь день.

Результаты опроса, появившиеся в "ELLE" в октябре

1991 года, показали, что 15% француженок считает процесс потребления пищи задачей, которую необходимо выполнить как можно быстрее.

Еда как средство успокоения

Подготовка к вредным привычкам в питании начинается с колыбели. Когда ребенок кричит, мать считает, что он болен или голоден, а ребенку просто необходимо ее присутствие или объятия. Если его успокаивать только с помощью кормления, то когда он вырастет у него сохранится этот рефлекс. Когда он будет нуждаться в нежности или любви, он будет компенсировать недостаток в них за счет пищи.

Кормление ребенка по первому требованию — первый "сексуальный акт" ребенка и первая стадия его психоэмоционального развития, которое может сильно повлиять на его дальнейшую жизнь, на отношения с людьми. Процесс потребления пищи в зрелом возрасте может заменить отсутствие любви, поскольку продукты, в отличие от предмета любви, всегда под рукой.

Первые проблемы в отношении еды проявляются при бессистемном питании: женщина потребляет немного пищи, не испытывая при этом чувство голода. Следующая стадия, когда женщина под влиянием неожиданного и непреодолимого порыва начинает поглощать большое количество пищи в неустановленные часы, не взирая на то, голодна она или нет. После первоначально полученного удовольствия она испытывает чувство вины перед самой собой.

Потребление продуктов, состоящих в основном из сахара, приводит к пагубной привычке, поскольку пища с сахаром впоследствии ассоциируется с детскими лекарствами. Сахар, безусловно, приятный продукт питания, потребление которого освобождает "эндорифин" в организме. Подобный своего рода "внутренний морфий", вырабатываемый самим организмом, и дает ощущение хорошего самочувствия.

Плохо то, что нарушения в системе питания приводят к появлению непреодолимого желания в потреблении пищи, что называется булимией. Потребляется огромное количество продуктов в гораздо больших размерах, чем необходимо для утоления голода. Когда некоторые женщины наконец-то осознают, что ведут себя неправильно, они начинают осуждать себя до такой степени, что погружаются в состояние депрессии и приходят к другой крайности — анорексии, потере аппетита, которая характеризуется исчезновением чувства голода. Даже если психические осложнения и не предшествовали этому состоянию, снижение веса, тем не менее, становится навязчивой идеей.

Подобные маниакальные идеи приводят молодых девушек, страдающих анорексией (в основном это касается 25-летних) к снижению веса до 40 кг. В результате они попадают в больницу и иногда применение только интенсивного лечения помогает избежать смертельного исхода. Однако, такие случаи не редки и составляют 10%.

Нарушения в системе питания закладываются как в раннем детстве, так приобретаются уже и в зрелом возрасте. Низкокалорийные диеты, которые предлагаются для борьбы с ожирением, приводят к психическим нарушениям, последствиями которых являются булимия и анорексия. Приобретенные нарушения в питании приводят к навязчивой идее в отношении продуктов питания и неправильному ритуалу приема пищи. В результате женщина становится раздражительной, ее настроение неустойчиво.

Еда ради удовольствия: продукты цивилизации

В отличие от пищи как средства успокоения, результатом которого являются различные нарушения здоровья, еду ради удовольствия можно отнести к обусловленному удовлетворению нужд человека: необходимости существования и необходимости получения удовольствия.

Гастрономическое искусство направлено на то, чтобы подчеркнуть все вкусовые оттенки продукта с целью получения максимума удовлетворения от процесса потребления пищи. Подвергая продукты обработке, мы постоянно ищем новые вкусовые качества пищи, при этом откладывая на нее отпечаток культуры, которая неразрывно связана с уровнем развития общества.

Процесс принятия пищи призван удовлетворять общепринятые нормы, так как через отношение к пище мы постепенно достигли определенного уровня цивилизации.

Потребление пищи в компании друзей или в кругу членов семьи, с предшествующими хлопотами по ее заготовке и приготовлению, всегда несет на себе отпечаток эволюции человечества. Этнологи знают, что степень ее разнообразия и процесс приема пищи всегда находится в прямой зависимости от уровня развития общества. В буржуазном обществе ритуалу приема пищи отводилась значительная часть дня. В одном из рассказов Мопассана разорившийся аристократ удаляется от людей в лес, где становится резчиком по дереву. Тем не менее, каждый день он переодевается к обеду, сохраняя воспитанные в нем традиции. В его понимании, это проявление уважения к священному моменту приема пищи.

К сожалению, отношение к традиции изменилось, и на сегодняшний день его можно назвать регрессией культуры. Это произошло, во-первых, в силу того, что знания традиционной кулинарии уже не передаются от матери к дочери, а, во-вторых, в современном обществе женщины работают и зачастую едят вне дома. И наконец, когда они возвращаются домой, время на ее приготовление практически не остается и они вынуждены есть приготовленные в микроволновой печи замороженные полуфабрикаты.

Время, затрачиваемое на еду, в основном определяется тем, как проводится досуг: телевизор, видео, игры, клубы здоровья. Поскольку пища уже не рассматривается как возможность социального объединения, к ней все чаще и чаще относятся как к потере времени. Это объясняет и то, что мы тратим на еду минимум денег.

Это прогрессирующее в нашем обществе отрицание пищи как основы внесло свой вклад в то, что еда как элемент удовольствия забыта ради практичных и дешевых закусок.

Исходя из вышесказанного мы сможем лучше понять, как развивалась мода на пищевые заменители (белковые пакеты являются как бы страховочной сетью), не представляющие большой опасности для тех, кто хочет избавиться от излишнего веса.

Необходимость в изменении отношения к принятию пищи

Теперь вам ясно, почему вы никогда не сможете принять принципов питания, описанных в книге, если вы не пересмотрите роль пищи, свою заинтересованность в ней и отношение к ритуалу приема пищи. Мы должны изменить свое отношение к ней и принимать ее как друга, а не врага.

Для того, чтобы вновь открыть ее для себя, приручить и управлять ею более эффективно, вы должны только научиться любить ее. А кто лучше женщины знает, что любовь и наслаждение неразделимы?

Глава III

ЮНОСТЬ

Юность является очень важным периодом в жизни девушки. В это время организм маленькой девочки полностью перестраивается. Под действием гормонов девушка становится женщиной.

Очень важное значение в этот период придается употребляемой пище. Сначала я освещу основные проблемы, рассматриваемые в данной главе, а затем подробно остановлюсь на заключениях и рекомендациях.

Откажитесь от плохого питания

Данные опросов, проведенных во Франции среди юношества об их привычках питания, вызывают беспокойство. Количество потребляемой пищи достаточно и составляет около 2000 каллорий в день. Только 7% опрошенных употребляют большее количество продуктов. Однако распределение поглощаемых за день калорий оставляет желать лучшего.

Полученная статистика приводит следующие данные об отношении опрошенных (респондентов) к завтраку:
— 30% говорят, что они не голодны, когда просыпаются;
— 24% говорит, что у них нет времени на завтрак;
— 7% опрошенных никогда не завтракают.

Отсюда следует, что более 60% девушек пропускают один из самых важных приемов пищи за день. Подобная практика приводит к употреблению в промежутках между едой жидкости, пирожных, макарон, соленых деликатесов и сладких напитков. Гораздо реже употребляются фрукты. В результате происходит перенасыщение организма плохими углеводами (белым сахаром и мукой, насыщенными жирами и солями).

Кроме того, такая пища бедна питательными веществами (отсутствие витаминов, минеральных солей и микроэлементов).

Исследование Вал-де-Марне, проведенное в 1988 году, дает представление о влиянии недостатка потребления микроэлементов на организм.

В приведенной ниже таблице собраны данные о дефиците кальция, магния и витаминов, которые жизненно необходимы в период созревания женского организма.

Микроэлементы и питательные вещества	Дефицит в употреблении (для девушек)
кальций	35%
магний	30%
железо	4%
цинк	29%
Витамин Е	78%
Витамин В9	78%
Витамин В2	17%
Витамин В6	85%
Витамин В12	5%
Витамин С	2%
Витамин А	75%

Причины дефицита витаминов и микроэлементов объясняются тем, что полезные продукты девушки ошибочно считают "отвратительной" пищей.

В 1991 году Французским центром по изучению детей и юношества был проведен опрос, который показал, что названия некоторых продуктов незнакомо многим девушкам: брокколи, ревень, кресс-салат, щавель (это название неизвестно 50% опрошенных), дробленый горох, тыква и ее разновидности, сельдерей (неизвестен 30% девушек), козлобородник. Кроме того, выяснилось, что:

— 15% молодых женщин никогда не едят фруктов;
— 27% никогда не пьют молоко;
— 30% вообще не едят сыр.

Обнаружено, что процент потребления сладких напитков (обработанных фруктовых соков, кока-колы) очень высок. В результате исследования получена интересная информация о продуктах, которым отдается предпочтение среди девушек.

Предпочтительные продукты	Продукты, которые не любят
Обработанные фруктовые соки Блины Пицца Мороженое Чипсы Домашний торт Детские сладости Торты Картофельное пюре Макаронные изделия из муки высшего сорта Морковь Ветчина Фруктовый йогурт Красные фрукты (клубника, вишня, малина)	Крупы Почки Сладкие хлебцы Потроха Печень Яйца Непастеризованные сыры Устрицы Черный пудинг Вино

Сладкие напитки	Употребление в день
0–0,25 л	52%
0,25–0,5 л	23%
0,75–1 л	10%
более 1 л	8%
	7%

Возрастные группы	% курящих среди молодых девушек
от 10 до 11	5,5%
от 12 до 13	7,5%
от 14 до 15	21,5%
от 16 до 17	42,5%
от 18 до 24	65,5%

Данные о потреблении алкогольных напитков девочками в возрасте 16 лет:

— 50% регулярно пьют крепкие спиртные напитки (10% из них несколько раз в неделю);

— 25% регулярно пьют пиво (в среднем 1 литр в неделю);

— 21% постоянно пьют вино (в среднем 0,5 литра в неделю).

Дальнейшие исследования показали, что:

— 33% девушек в возрасте до 16 лет хотя бы один раз бывают в состоянии алкогольного опьянения (45% из них учатся в профессиональной средней школе и 17% — в других средних школах);

— 22% из них пьют большое количество алкогольных напитков более 10 раз в году.

Данные о курящих девушках также малоутешительны. В возрасте 16 лет среднее число девушек, курящих более 12 сигарет в день составляет:

— ниже шестого класса — 17%;

— выше шестого класса — 30%;

— профессиональный шестой класс — 48%;

— дневные курсы для работающих — 61%.

Современные девушки, занятые только учебой, обычно ведут себя как молодые люди, не перегружаясь домашней работой. Они мало смыслят в приготовлении пищи, матери не учат их готовить и не передают традиций кулинарного искусства. Более того, 30% не могут даже сварить себе яйца!

Отсутствие интереса к еде, ее приготовлению и к гастрономии в целом, привело к разрыву с традициями. С этой точки зрения готовые блюда и еда типа Макдональдс отвечают необходимости позаботиться о самом себе. Пища утратила такие характерные черты как удовольствие и радость общения.

При опросе девушек об их досуге и увлечениях ответы были следующие:

28% — посещают кино;

24% — слушают музыку;

19% — занимаются спортом;

17% — дискутируют;

11% — читают книги

и только 6% любят вкусно поесть.

Как научиться правильно питаться

Девушки должны знать о вышеприведенной статистике, чтобы понять насколько необходимо правильное питание для их здоровья как в настоящем, так и в будущем.

В момент завершения формирования организма девушке необходимо получать соответствующее питание, от которого будет зависеть ее будущее здоровье.

Приведем несколько советов:

1. Употребляйте достаточное количество белковой пищи.

Девушка должна потреблять белка в день 1,2 г из расчета на 1 кг своего веса. Животные белки содержатся в мясе, рыбе, яйцах, сыре; растительные белки — в сое, бобовых, мюсли, орехах.

2. Убедитесь, что количество потребляемого кальция достаточно.

Кальций содержится в молочных продуктах и сыре. Он необходим не только в период завершения формирования скелета, но и в будущем для уменьшения риска переломов во время беременности и в критическом возрасте во избежание переломов и пористости костей. В дневной рацион должно входить 1200 мг кальция.

В таблице ниже приводится перечень продуктов питания и их количество, в котором содержится 300 мг кальция. Следовательно, необходимо употребить 4 порции одного и того же продукта в течение дня или съесть их за один прием пищи.

Продукты, богатые кальцием (300 мг в каждой порции)	
30 г швейцарского сыра 50 г камамбера 1/4 л молока 300 г творога 10 маленьких мягких сыров	100 г манки 150 г кресс-салата 150 г миндаля или фундука 400 г хлеба с отрубями 850 г зеленой капусты 4 больших апельсина 1 кг рыбы 2 кг мяса

3. Потребляйте достаточное количество железа.

Железо является необходимым компонентом для нормальной жизнедеятельности. Недостаток железа в организме является серьезной причиной для беспокойства.

Оно необходимо для роста тканей в организме и для повышения числа кровяных телец.

Потеря организмом железа особенно велика в менструальный период при длительных и обильных выделениях.

Недостаток железа в организме ведет к анемии и усталости, ослаблению физического и интеллектуального потенциала, а также к снижению иммунитета.

Нехватка железа сказывается на процессе похудания, поскольку с его помощью в организме вырабатывается фермент, который влияет на скорость сжигания жирных кислот.

Дневная норма потребления железа для девушки составляет 18 мг:

— из мяса и рыбы поглощается 25% железа;

— из овощей абсорбируется только 5% железа.

Поэтому вегетарианцам достаточно трудно получить необходимую норму железа в день.

Животные источники железа (на 100 г)	Растительные источники железа (на 100 г)
Морские моллюски — 25 мг Мюсли — 25 мг Кровяная колбаса — 20 мг Свиная печень — 15 мг Бифштекс из печени ягненка — 10 мг Желток — 7 мг Устрицы — 6 мг Телячьи печень — 5 мг Мясо — 3 мг Птица и рыба — 2 мг	Какао натуральное — 15 мг Шоколад с 70% содержанием какао —10 мг Бобы — 10 мг Фасоль зерновая — 8 мг Чечевица — 7 мг Орехи — 5 мг Сухофрукты — 4 мг Шпинат — 4 мг Хлеб из муки грубого помола — 3 мг

Добавим, что продукты насыщенные танином (вино, чай) и клетчаткой, могут ограничивать процесс всасывания железа.

4. Потребляйте оптимальное количество витаминов.

Исключите из употребления обработанные продукты и используйте только необработанные злаковые, например, крупы, чечевицу, бобы, горох и т.д. Рекомендуем дополнить рацион сухими дрожжами и пророщенной пшеницей, фруктами и сырыми овощами (богатыми витаминами С). Отдавайте предпочтение пище, богатой витамином Е — оливковому и подсолнечному маслу, орехам и т.д.

Похудание для молодых

В прежние времена 11-летние девочки до своего первого причастия были тонкими, хрупкими и даже худыми. В период полового созревания под влиянием гормонов их фигуры округлялись, девушки полнели, а на лице появлялись свойственные этому возрасту прыщи.

К 17 годам прыщи исчезали и все приходило в норму. Фигуры обретали женственные очертания, но оставались стройными.

В 18 лет девушки окончательно оформлялись, их осиные талии и мускулистые ягодицы подчеркивали изгибы тела и высокую грудь. Это был возраст обольщения, любви и традиционной женитьбы.

В наши дни маленькие девочки часто приобретают округлые формы еще до полового созревания. В этом нет ничего удивительного, так как начиная с детства они употребляют мучную пищу. С возрастом их дневной рацион пополняется равиоли, картофелем, блинами с наполнителем и пиццей. Отдается должное пресловутым сладостям, бисквитам, бутербродам и сладким газированным напиткам. С детства и на протяжении всей жизни поджелудочная железа женщины работает на износ.

В период юности воздействие гормональных изменений усиливается. Девушка быстро набирает вес и для борьбы с ним пропускает часы приема пищи.

Последствия низкокалорийной диеты особенно отражаются на организме в период перестройки, поскольку он восприимчив к любым изменениям.

Последствия такой низкокалорийной диеты довольно типичны:

— увеличение жировых клеток (гиперплазия), как результат ограничений в еде. Организм наиболее подвержен изменениям, в силу гормональной перестройки;

— недостаток в питательных веществах может привести к серьезным проблемам со здоровьем: недомоганию, анемии, ослаблению иммунитета;

— приобретение дополнительного веса и, соответственно, ухудшение морального состояния девушки;

— появление типичных проблем, связанных с отношением к питанию: булимии и анорексии.

Булимия и анорексия

Будучи диаметрально противоположными, эти два заболевания, связанные с отношением к еде могут возникнуть в период созревания девушки. Сначала развивается то, что называется "дисморфофобией", то есть человек не удовлетворен своей фигурой. Это происходит в 35% случаев. Неудовольствие самим собой приводит к тому, что девушке хочется быть похожей на одну из известных моделей, и она произвольно выбирает методы похудания. Прежде всего она ограничивает себя в питании. Это стадия анорексии.

Затем появляется чувство голода, которое в какой-то момент становится невыносимым, и тогда она начинает с удвоенной энергией потреблять пищу. Это стадия булимии. Этот период может сопровождаться рвотой, приемом слабительных или мочегонных средств, а также средств, подавляющих чувство голода.

Ситуация усугубляется снижением уровня содержания калия в организме, который ведет к перебоям сердечных ритмов и утомляемости мышц.

Проблемы в питании гораздо чаще встречаются в таких странах, как англосаксонские, поскольку в них ономение к еде не является частью их традиций.

Согласно статистике, во Франции булимия встречается у 6% студенток, а анорексия — у 3–4% девушек. Булимия поддается лечению, прогнозы в отношении больных анорексией менее оптимистичны.

Свод правил для стройных

Общеизвестно, что женщины способны принимать твердые решения. Но часто они не замечают мелочей, которые ведут их к неправильным поступкам. Придерживайтесь золотой середины в отношении питания.

Основной совет, данный в первой части книги, может быть применим абсолютно ко всем. Однако я уверен, что девушкам нет необходимости применять ускоренный курс похудания, описанный в Фазе 1.

В отличие от патологического ожирения, для лечения которого необходимо вмешательство специалистов (например, врача-эндокринолога), от нескольких лишних килограммов можно избавиться путем регулирования привычек питания (Фаза 2).

Тем не менее, девушкам следует прочесть всю первую часть книги. Очень важно, чтобы они поняли, как работает их организм и как разумно выбрать продукты питания. Нет необходимости исключать тот или иной продукт из своего рациона под предлогом, что он способствует росту веса. Необходимо четко осознавать, что каждый продукт, взятый отдельно, не может способствовать ожирению — ни масло, ни картофель. Полнота является результатом взаимодействия продуктов и способности определенных из них влиять на некоторые механизмы обмена веществ, которые и приводят к прибавке веса. Здесь приведены несколько советов, которые могут пригодиться для возвращения к нормальному весу и жизнедеятельности.

— Принимайте пищу строго 3 раза в день и соблюдайте режим в приеме пищи.

— Избегайте, приема углеводов, гликемический индекс которых достаточно высок и, особенно, изделия из муки высшего сорта, сахар и т.д.

— Не принимайте пищу между основными приемами. Если вы проголодались в середине дня, съешьте фрукты или сухофрукты (например, инжир), или выпейте чашку чая с кусочком хлеба из муки грубого помола с джемом без сахара. Время от времени вы можете позволить себе съесть что-нибудь сладкое, например, несколько кусочков шоколада с 70% или более содержанием какао.

— Избегайте, в качестве основного приема, пищу типа ресторанов Макдональдс. Если вы пришли в пиццерию, закажите себе баклажаны с сыром или помидоры с сыром моцарелла. Если будет возможность, съешьте макаронные изделия, гликемический индекс которых составляет 55/60. В любом случае это лучше, чем пицца, гамбургер, хот-дог и т.д.

—Найдите рецепты вашей бабушки: соленая свинина с чечевицей, сухие бобы, дробленый горох, тушеная говядина с репой, капуста и лук-порей.

— Употребляйте молочные продукты — на завтрак пейте нежирное молоко, ешьте сыр. Откройте для себя разнообразие продуктов местного производства. Если вы не любите сыр, то ешьте йогурт, причем столько, сколько захотите.

— На завтрак употребляйте хлеб из муки грубого помола с маленьким кусочком масла. Можно съесть мюсли. Вся эта пища полезна и легка в приготовлении.

— Не отказывайтесь вообще от всех жиров: выбирайте хорошие, те, которые содержатся в рыбе (селедке, макрели, сардинах), оливках, грецких орехах и подсолнечном масле.

— Откажитесь от всех изготовленных промышленностью напитков, особенно от кока-колы. Вместо них пейте свежеотжатый фруктовый сок без сахара. Позвольте себе время от времени бокал сухого вина, например, в конце недели. Если Вам предложили апперитив, никогда не пейте спиртные напитки. Попросите лучше томатный сок или бокал вина.

— Получите удовольствие от приготовления пищи и от еды. Не верьте, что время, потраченное на приготовление вкусных блюд, потрачено впустую. Кулинария, по сути .дела, искусство. В наши дни профессия шеф-повара престижнее профессии программиста.

Влияют ли противозачаточные таблетки на увеличение веса

Около 70% девушек в возрасте 18–21 лет принимают противозачаточные таблетки. Фармацевтические фирмы умалчивают о возможном влиянии этих таблеток на вес человека.

Известно, что применение первого поколения таких пилюль повлияло на вес женщины. Третье поколение таблеток, которые используются сейчас, никак не отражается на весе, по крайней мере, на весе молодых девушек. Увеличение веса самое большое на 2 кг замечено в некоторых случаях в первые 6 месяцев применения. Этот факт, однако не имеет непосредственного отношения к увеличению жира. Скорее, в результате приема эстрогенов увеличивается содержание воды в организме.

При увеличении веса в более зрелом возрасте можно говорить о накоплении жировых клеток под воздействием прогестерона. Данные исследования в этой области показывают, что есть риск повышенной секреции инсулина даже при употреблении противозачаточных таблеток третьего поколения. Было бы лучше, если бы врачи автоматически не прописывали таблетки третьего поколения с наименьшими побочными эффектами, а продолжали бы давать пилюли второго поколения своим пациенткам.

Вышеизложенное необходимо знать прежде всего девушкам с избыточным весом, принимающим данные таблетки. В зависимости от индивидуальности, в некоторых случаях может произойти увеличение веса.

При увеличении веса больше, чем на 3 кг нужно обратиться к врачу, прописавшему эти пилюли.

Помните, что принципы Метода направлены как раз на снижение гиперинсулинемии. С другой стороны, следует признать, что таблетки помогают избавиться от прыщей, а некоторые из них используются специально для этого.

Юность, спорт и питание

Выполнение физических упражнений не только желательно, но и настоятельно рекомендуется. Регулярные и умеренные занятия спортом являются гарантией хорошего здоровья, поддержания мускулатуры, дыхательной и сердечной систем, не говоря уже о том, что спорт — прекрасный способ общения с друзьями.

Так как потребность в белке для спортсменки достаточно высока (1,5 г в день из расчета на килограмм веса), нужно обратить внимание на увеличение употребления мяса, рыбы, молочных продуктов и яиц. Рекомендуется пить большое количество жидкости, чтобы избежать увеличения содержания мочевой кислоты и мочевины в организме.

На мышцы ложится основная нагрузка при занятиях спортом. Как известно, глюкоза является их основным топливом. Глюкоза накапливается в организме в виде гликогена (в печени, в мышечных тканях, которые представляют собой своего рода резервуар). В результате пищеварения все углеводы превращаются в глюкозу (за исключением фруктозы).

В течение длительного времени спортсменам, учитывая их физические нагрузки, советовали употреблять "медленные" углеводы. Сегодня известно, что эти рекомендации были ошибочны. Перед тренировками необходимо употреблять продукты, содержащие углеводы с низким гликемическим индексом — фрукты, мюсли, хлеб из муки грубого помола, крупы, все макаронные изделия.

Употребление картофеля, риса, сладостей и кексов приводит к гипергликемии (увеличению уровня сахара в крови), последствием которой, как мы знаем, будет повышенное выделение инсулина. Это может служить причиной тяжелой гипогликемии через 2–3 часа после еды, что влечет за собой появление усталости, неожиданное чувства упадка сил, которые ограничивают физическую активность человека.

За день до спортивных соревнований рекомендуется следующий режим питания:

— На обед употреблять продукты, содержащие углеводы с низким гликемическим индексом — макаронные изделия из муки грубого помола и крупы (чечевицу, бобы, турецкий горох, манную крупу грубого помола и т.д.). Употребление хороших углеводов поможет поддерживать физическую форму в течение длительного времени.

— На завтрак, который должен быть за 3 часа до начала соревнований, надо съесть хлеб из муки грубого помола с джемом без добавок сахара или мюсли (без сахара) с обезжиренными молочными продуктами (горячее или холодное молоко, йогурт).

Дополнительная информация

— Алкоголь является топливом, которое мышечная система не использует. Опровергая бытующее мнение, надо сказать, что алкоголь (сюда же относится и пиво) не может оказывать воздействие на работу мышц. Кроме того, алкогольные напитки, будучи мочегонным средством, усиливают эффект обезвоживания организма.

— Скандинавская диета рекомендует за 4–6 дней до начала соревнований употреблять продукты, не содержащие углеводов, за 3 дня — макаронные изделия и рис. Этот рацион может применяться только профессиональными спортсменами, находящимися под постоянным наблюдением врача. Любителям не стоит пользоваться этой диетой.

— Острая боль и мышечные судороги могут быть вызваны несколькими причинами: недостаточным содержанием жидкости в организме, отсутствием гликогена, состоянием гипогликемии и повышенным содержанием кислоты в мышцах.

— При занятиях спортом необходимо ежедневно употреблять большое количества жидкости. Напиток может состоять из воды или чая с добавлением лимонного сока. Недостаток жидкости в организме типичен для спортсменов и женщин.

— Длительные физические нагрузки требуют постоянного пополнения запасов гликогена в организме.

— При большой нагрузке на мышцы выделение инсулина заметно снижается. При занятиях спортом необходимо постоянное употребление воды.

Для этого приготовьте напиток, состоящий из 1 литра воды, 4 столовых ложек фруктозы и сока двух лимонов. В зависимости от вида спорта (например, велосипедный спорт) можно съесть ненормированное количество сухофруктов или тех продуктов, которые обеспечат организм необходимой ему энергией. К ним относятся мюсли, фрукты и т.д.

Благодаря хорошо сбалансированному питанию даже при длительных физических нагрузках вы не почувствуете усталости и упадка сил.

При этих условиях спорт будет источником истинного наслаждения для девушки.

Как следить за кожей лица

Состояние здоровья человека обычно отражается на коже, волосах и ногтях. Тусклый цвет кожи, сальные волосы с посеченными концами и ломкие ногти с белыми черточками свидетельствуют о функциональных нарушениях. Причины недомоганий часто кроются в плохо сбалансированной диете, то есть в недостатке витаминов, микроэлементов, минеральных солей, жирных кислот и т.д.

Большую роль для здоровой кожи играют витамины А и Е.*

— Витамин В5 оказывает влияние на увлажненность кожи и укрепляет волосяные мешочки;

— Витамин В8 предупреждает выпадение волос и влияет на выделение сальных желез;

— Цинк регулирует выделение кожного сала (при воспалении сальных желез наблюдается увеличение его выделений) и влияет на нормализацию состояния волос.

Эти микроэлементы входят в состав многих косметических средств. Тем не менее, только продукты, обогащенные питательными веществами, обеспечивают достаточное количество их в организме.

Их нельзя заменить синтетическими пищевыми добавками, так как последние плохо всасываются кишечником. Рекомендуется использовать полезные продукты. Пророщенные зерна пшеницы и пивные дрожжи обладают большой питательной ценностью.

В период полового созревания наблюдается воспаление сальной железы. Оно обусловлено повышенным выделением кожного сала (жировые выделения кожи) и усиливается различными воспалениями и инфекциями.

Эти явления не связаны с потребляемой пищей, поэтому подростки могут смело есть шоколад (с 70% содержанием какао) и салями. Вредное влияние на состояние кожи оказывают курение и недосыпание.

_____

*См. таблицу витаминов в Часть 1, Глава VI

Как предупредить образование целлюлита

Целлюлит приносит большие неприятности женщинам, особенно когда он заметен. Причины для его образования закладываются еще в юношестве, поэтому предупредить его появление можно в этот период.

Появление целлюлита обусловлено различными обстоятельствами: генетическими, гормональными, психологическими, нарушениями кровообращения и питания. Основным фактором, влияющим на образование целлюлита, являются гормоны. Их повышенное выделение и сверхчувствительность к эстрогенам даже при нормальном количестве оказывает влияние на жировые клетки, увеличивая их в размерах и в числе. Наблюдается процесс разбухания жировых клеток, который чаще встречается у женщин с женским типом распределения жира (увеличение размера ягодиц и бедер).

Механизм образования целлюлита таков: под воздействием эстрогенов жировые клетки, насыщенные жиром, увеличиваются в размерах и давят на кровеносные сосуды. Наблюдаются нарушения кровообращения. Утолщается подкожный слой жира (известный эффект апельсиновой корки), отмершие клетки плохо выводятся, движение воды в организме нарушается, нервные волокна сжимаются, вызывая боль.

Опорная соединительная ткань твердеет и отмирает, отделяясь от жировых отложений. Среди прочих гормонов, влияющих на образование целлюлита, находится и инсулин. В начале книги говорилось, что повышенное выделение инсулина обуславливается неправильным питанием.

Борьбу с целлюлитом нужно начинать с искоренения плохих привычек питания и применения принципов, рекомендуемых в этой книге. Если нарушения кровообращения наблюдаются и в период половой зрелости, то необходимо отказаться от горячих ванн и от долгого пребывания на солнце.

Для лечения вен обратитесь к врачу. Кроме того, избегайте слишком тесной одежды (например, джинсы, колготки), нарушающей кровообращение в организме.

В борьбе с целлюлитом, одной из причин которого является сидячий образ жизни, помогут занятия спортом, поскольку неразвитые мышцы оставляют пространство для заполнения его жировыми клетками.

И наконец, никогда не поздно научиться управлять собой в стрессовых ситуациях. Йога — прекрасный помощник для избежания стресса.

Глава VI

ТРИДЦАТИЛЕТНЯЯ ЖЕНЩИНА

Тридцать лет — это возраст расцвета. Юность осталась в воспоминаниях, а до критического возраста настолько далеко, что кажется невероятным.

Этот период характеризуется профессиональной, сексуальной активностью и возможной беременностью. В данную группу входят женщины в возрасте от 30 до 45 лет. Под давлением обстоятельств в этот период изменяются привычки в питании. Исследования показали, что они несколько отличаются от привычек питания в юношеском возрасте. Тем не менее, сохранившиеся нарушения приводят к ослаблению организма. Результаты опросов показали, что излишки потребления сахара, соли, а также мучных изделий наряду с недостатком потребления овощей, молочных продуктов и жидкости могут привести к различным осложнениям из-за нехватки микроэлементов и витаминов C, E и B. Появляется опасность увеличения веса, образование целлюлита, а также симптомы хронической усталости.

Поскольку представительницы этой возрастной группы хотят сохранить отличную фигуру и привлекательность, им необходимо изменить плохие привычки питания.

Рекомендации, как сохранить хорошую форму

К этой возрастной группе применимы советы, которые мы давали девушкам. Добавим несколько рекомендаций, как избежать усталости и излишней восприимчивости в стрессовых ситуациях.

1. Обеспечьте достаточное потребление магния

В современном обществе, к сожалению, отдается предпочтение продуктам-полуфабрикатам в ущерб натуральным (например, крупам). Это приводит к хроническому недостатку магния в организме. В дневной рацион француженок входит 210 мг магния при рекомендуемой норме 330 мг.

Недостаток потребления магния с пищей приводит к усталости, спазмам, чрезмерной возбудимости, а также к судорогам.

Содержание магния	
Промышленно обработанные продукты (из расчета на 100 г)	**Необработанные продукты (из расчета на 100 г)**
Белый хлеб — 30 мг Белый рис — 30 мг Макаронные изделия из муки высшего сорта — 52 мг	Хлеб из муки грубого помола — 80 мг Коричневый рис — 140 мг Макаронные изделия из муки грубого помола — 70 мг

Продукты, богатые магнием
Порошок какао — 420 мг/100 г Пророщенные зерна пшеницы 400 мг/100 г Миндаль — 260 мг/100 мг Шоколад с 70% содержанием какао — 260 мг/100 г Сухие бобы — 160 мг/100 г Грецкие орехи и фундук — 140 мг/100 г Коричневый рис — 140 мг/100 г Овсяные хлопья — 130 мг/100 г Чечевица — 90 мг/100 г Хлеб из муки грубого помола — 90 мг/100 г Сушеный инжир — 85 мг/100 г Макаронные изделия из муки грубого помола — 70 мг/100 г

2. Потребляйте достаточное количество витамина В 6

Недостаток витамина В 6 в организме может стать причинами усталости, раздражительности, и даже депрессии в случае, когда женщина принимает противозачаточные таблетки. Исследование Вал-де- Марне показало, что 85% женщин, в силу плохих привычек питания, потребляют недостаточное количество продуктов, содержащих этот витамин. Недостаток в нем может усугубляться противозачаточными таблетками и беременностью.

Кроме упомянутых симптомов, могут наблюдаться головокружение, расстройство функций секреции сальных желез (жирная кожа и сальные волосы).

Недостаток витамина В6 может вызывать острую потребность в продуктах, содержащих сахар. Это объясняется нехваткой серотонина в организме.

Рекомендуемая дневная норма в потреблении витамина В6 составляет 2 мг. Она содержится в следующих продуктах (из расчета на 100 г):

Пивные дрожжи — 4 мг;
Пророщенные зерна пшеницы — 3 мг;
Ростки бобов — 1,5 мг;
Авокадо — 0,6 мг;
Крупы — 0,5 мг;
Коричневый рис — 0,5 мг;
Рыба — 0,4 мг.

3. Обеспечьте организм витамином С

До сих пор не принято окончательное решение в отношении витамина С в больших дозах. Тем не менее, его целебные свойства бесспорны:

— он повышает иммунитет;
— помогает противостоять стрессам, принимая участие в синтезе некоторых гормонов (стероидов);
— помогает абсорбировать железо и синтезировать L-карнитин, защищает от вредного воздействия сигаретного дыма.

Недостаток витамина C вызывает следующие недомогания:

— усталость;
— затруднение дыхания при выполнении физических упражнений;
— сонливость;
— мышечную боль;
— снижение сопротивляемости организма инфекциям.

Дневная норма потребления витамина C колеблется от 80 до 90 мг.

Для курящих женщин потребность в нем намного больше, поскольку выкуренная в день пачка сигарет разрушает около 50 мг витамина C. В зависимости от количества выкуренных сигарет норма употребления витамина C колеблется от 150 до 200 мг в день. Это количество необходимо для защиты клеток от окисления и жизнедеятельности организма.

Избыточное потребление витамина не приносит пользы организму, а кроме того, способствует появлению камней в почках.

В заключение скажу, что синтетический витамин C в таблетках хуже всасывается кишечником.

Продукты, содержащие 50 мг витамина C	
30 г черной смородины	70 г кресс-салата
25 г киви	80 г красной капусты
50 г сладкого перца	100 г цитрусовых
25 г петрушки	200 г печени или почек

4. Избегайте гипогликемии

Эти рекомендации вы найдете в Части 1, Главе VI.

Что тормозит процесс похудания

В вопросе похудания нельзя говорить о равенстве полов. При употреблении мужчиной и женщиной одной и той же пищи в равном количестве, в соответствии в принципами Метода, результаты похудании будут разными. По истечении нескольких месяцев мужчина может поздравить себя со снижением веса килограмм на 10, а женщина будет жаловаться, что похудела всего на 3 килограмма.

Естественно она склонна думать, что Метод Монтиньяка больше подходит для мужчин. Однако ее подруга, посоветовшая приобрести эту книгу, без особого труда похудела на 8 кг всего за 2 месяца. Причина кроется в том, что каждый организм в силу своей индивидуальности по-разному реагирует на принципы Метода. Поэтому не делайте поспешных выводов и не сравнивайте несравнимое.

1. Полнее ли женщина по сравнению с мужчинами

Масса жира в женском организме гораздо больше, чем в мужском и составляет 22–25% против 17%. Этой "честью" женщины обязаны большому количеству жировых клеток (адипоцитов).

2. Распределение жира

Для женщины, естественно, более типичен женский тип распределения жира в организме (ниже талии) и возможно образование целлюлита.

Для мужчин характерен мужской тип (выше талии).

Особенности женской фигуры — пышные ягодицы и бедра — объясняются природными функциями женщины. Ее организм создает резервы на случай беременности и кормления грудью. В прошлом организм женщины накапливал внутренние резервы для того, чтобы выжить в неурожайные годы. Необходимость в этом исчезла, но средневековый рефлекс выживания в некоторых случаях проявляется.

Жировые клетки накапливаются в нижней части женской фигуры, где они откладываются про запас. Эти резервуары запрограммированы природой на накопление, а не на расход. Достичь похудания для этих частей тела довольно трудно.

3. Более глубокая восприимчивость к гормонам

В отличие от мужчин, в период половой активности женщины находятся под воздействием гормонального ритма. Их вес может увеличиться во время полового созревания, беременности, дисбаланса эстрогена/прогестерона и критического возраста.

В некоторых случаях перед менструацией повышается аппетит, возникает необходимость в потреблении углеводов, то есть продуктов, содержащих сахар. В результате снижения уровня серотонина этот период может сопровождается легкой депрессией. Потребность в сахаре и объясняется именно тем, что он влияет на уровень серотонина в организме.

Отметим, что зачастую лечение гормональными препаратами вызывает увеличение веса (см. Часть 1, Глава 5).

4. Женщины, у которых одна диета сменяет другую

Что касается мужчин, то они садятся на диеты в 35–45 лет. В этот период у них начинается переоценка ценностей. Они возвращаются к увлечению спортом, бросают курить, меняют сферу деятельности, и, в некоторых случаях, жен. Их можно назвать "девственниками в диете". Мужской организм гораздо быстрее реагирует на диету, чем женский, и похудание достигается без больших усилий.

Женщины, начиная с периода полового созревания, истязают себя ограничениями в еде. Они руководствуются идеей не только вернуться к своему весу в юношестве, но и максимально приблизиться к стандартной фигуре, рекламируемой в женских журналах.

Проходят годы, одна низкокалорийная диета сменяет другую. Со временем они худеют, но вслед за этим снова набирают вес. Следуя инстинкту самосохранения, истощенный организм включает определенные механизмы регуляции, усилия которых направлены на сопротивление похуданию.

Для достижения этой цели увеличивается количество

жировых клеток, то есть идет накопление максимальных запасов. Жировые клетки разрастаются в размерах (они переполняются жиром), и затем наступает стадия гиперплазии (процесс образования новых жировых клеток).

5. Не допускайте недостатка белка в организме

Как правило, женщины, в отличие от мужчин, не относятся к поклонницам мясной пищи. Они прекрасно обходятся без яиц и сыра. Это приводит к недостатку содержания питательных веществ в организме женщины, который может усугубиться применением низкокалорийной диеты.

Кроме того, недостаток белков отрицательно влияет на сокращение жировых масс, что приводит к замедлению похудания.

6. Влияние стрессовых ситуаций

Под воздействием глубоких эмоциональных потрясений (тяжелые утраты, разводы, потеря работы и т.п.) женщины иногда худеют. Это естественный ответ организма на навязанную ему ситуацию.

Она не может проглотить ни куска, но это явление носит временный характер. Как правило, в критической ситуации вес женщины быстро увеличивается.

Это происходит под давлением психологических и биохимических факторов.

Психологические факторы

В стрессовых ситуациях срабатывают рефлексы, связанные с приемом пищи. Для того, чтобы погасить образовавшийся очаг беспокойства, женщины начинают бессознательно поглощать пищу.

Нарушения в питании проявляются по-разному:
— в систематическом употреблении пищи между основными приемами;
— в неразумном потреблении сахара, независимо от прежних привычек;
— в явлениях булимии или переедания.

По статистике 40% женщин допускают потребление пищи в то время, когда они уже сыты.

Биологические факторы

Под влиянием стрессов в организме происходят различные биохимические реакции:
— снижение уровня роста гормонов;
— выделение эндорфинов;
— выделение кортизола.

Это приводит к активному накоплению жира в организме.

Таким образом, женщины легче поправляются, чем мужчины. Кроме того, недостаток питательных веществ — магния, железа, витамина B6 — делает их более уязвимыми в стрессовых ситуациях.

Полноценное питание во время беременности

Беременность является одним из самых важных периодов в жизни женщины. Поэтому подготовиться к ней надо и морально и физически заранее.

Если необходимо похудеть, сделайте это до наступления беременности. За время вынашивания ребенка вес женщины увеличивается, поэтому многие полагают, что похудеют после рождения ребенка. Это мнение ошибочно.

При избыточном весе избавиться от него необходимо как можно раньше, чтобы не нанести вреда ни ребенку, ни самой себе. Осложнения могут проявиться в таких заболеваниях как диабет, повышенное давление, эклампсия.

Применение низкокалорийных диет в период беременности опасно в связи с образованием в организме женщины недостатка витаминов, минеральных солей и микроэлементов, когда она вдвойне нуждается в них.

Только та диета, которая будет применяться параллельно с рекомендациями Метода Монтиньяка, может гарантировать достаточное поступление питательных веществ в организм матери для нормального развития плода.

На протяжении 9 месяцев будущая мать без ущерба собственному здоровью должна поддерживать оптимальные условия для развития ребенка. Продукты питания должны подбираться таким образом, чтобы обеспечить всеми необходимыми питательными веществами ее и ребенка на протяжении всего дня.

Предлагаемый нами набор продуктов отвечает этим требованиям. К основным рекомендациям можно добавить следующие советы:

— не обязательно есть за двоих. Однако необходимо питаться вдвое лучше;

— убедитесь, что употребляете достаточное количество животных белков (говядину, мясо птицы, рыбу, яйца, молочные продукты и т.д.) и растительных (крупы, соевые продукты). Они имеют большое значение для формирования ребенка. Не употребляйте печень более одного раза в неделю, чтобы избежать переизбытка витамина А. Чтобы исключить вероятность инфекций, исключите из рациона не подвергавшиеся тепловой обработке (сырые) мясо и морские продукты;

— запаситесь кальцием, необходимым как для формирования скелета ребенка, так и для самой себя. С этой целью употребляйте молоко, сыр, йогурт, творог;

— употребляйте пищу, содержащую железо, чтобы избежать анемии, утомляемости, ослабления иммунитета. Железо содержится в мясе, крупах, сухофруктах, яйцах;

— избегайте недостатка фолиевой кислоты, который может привести к нарушениям развития зародыша ребенка. Необходимо употреблять пивные дрожжи, пророщенные зерна пшеницы, крупы;

— ешьте продукты, содержащие клетчатку, которая поможет избавиться от запоров. Кроме того, эти продукты богаты витаминами и минеральными солями. Регулярно ешьте фрукты, сырые овощи, зелень, салаты, хлеб из муки грубого помола, крупы;

— не забывайте пить воду в достаточном количестве, чтобы избежать обезвоживания организма и мочевых инфекций. Исключите из рациона алкоголь. Можно позволить себе полбокала красного вина на десерт, так как полифенолы, содержащиеся в вине, способствуют улучшению кровообращения;

— не употребляйте таблетки и диетические добавки до консультации с врачом;

— чтобы избежать недостатка питательных веществ, ешьте разнообразную пищу. В четыре месяца ребенок уже различает вкусовые оттенки, поэтому чем больше пищи он попробует, находясь в материнской утробе, тем проще будет отнять его от груди и перевести на обычную пищу;

— и наконец, не курите во время беременности. Это может вредно сказаться на весе ребенка.

Иногда у беременной женщины наблюдается значительное увеличение веса, от 15 до 20 кг, при допустимой норме 8 кг. Этот вес распределяется следующим образом:

— 3,5 кг — вес ребенка при рождении;

— 500 г — вес плаценты;

— 1 кг — вес матки;

— 700 г — вес околоплодной жидкости;

— 1 кг — вес увеличившейся в размере груди;

— 1,3 кг приходится на увеличение количества крови.

Значительное увеличение веса беременной женщины объясняется тем, что организм во второй половине беременности продолжает накапливать запасы жира на случай возможного голода, что происходит на уровне бессознательного рефлекса.

Увеличение веса усугубляется употреблением пищи, вызывающей процесс гипергликемии, то есть богатой плохими углеводами. Следование принципам Метода позволит избежать увеличения веса.

Избыток веса во время беременности может быть связан с нарушениями кровообращения, то есть с избытком жидкости в организме. В этом случае, необходимо постоянно наблюдаться у врача, поскольку нарушения могут привести к появлению белка в моче и высокому давлению.

Дать оценку причинам увеличения веса женщины во время беременности можно на основе данных о ее росте и прежнем весе. При весе в 60 кг до беременности и при росте 1,50 увеличение веса не должно превышать 8 кг. Если вес женщины составлял 52 кг при росте 1,75, она смело может поправляться на 15 кг, поскольку резервы ее организма были недостаточными. После рождения ребенка она, несомненно, похудеет, чему будет содействовать кормление ребенка грудью, поскольку организм будет расходовать накопленные им резервы.

Пресловутый целлюлит

Явлению целлюлита было уделено внимание в главе о юношеском возрасте. Для зрелой женщины целлюлит подобен ночному кошмару. Не секрет, что принимать меры для борьбы с ним лучше как можно раньше. К сожалению, его обладательница начинает беспокоиться к моменту, когда признаки целлюлита слишком явные.

Но лучше поздно, чем никогда. Необходимо помнить, что в борьбе с этим явлением важен комплекс мер.

Причин появления целлюлита несколько:
— природная предрасположенность женщины;
— гормональный дисбаланс;
— плохие привычки в питании;
— неправильный образ жизни.

Уделяя внимание последним двум, можно не только остановить процесс развития целлюлита, но даже добиться частичного сокращения. Однако, для успешного результата необходимо коренным образом изменить свой образ жизни.
В связи с этим нужно сделать следующее:

— *Решить вопрос с излишним весом*

При целлюлите накопленные жиры в организме сдавливают вены. Избавившись от излишнего веса эти вены становятся видимыми, что крайне неблагоприятно с эстетической точки зрения. Наряду с другими способами, можно применить местное лечение.

— Изменить привычки питания

Эта рекомендация потребует отказа от всех плохих привычек питания. Следуйте принципам Метода в течение всей жизни. Напомним, что по Методу Монтиньяка необходимо употреблять углеводы с низким гликемическим индексом, которые, несомненно, полезнее, чем углеводы с высоким гликемическим индексом.

— Займитесь лечением вен

Болезни вен связаны с нарушением кровообращения, которые характерны для большинства женщин, особенно страдающих целлюлитом.

Нарушения кровообращения, к которым приводит целлюлит, усугубляются не только сидячим образом жизни, но и привычками. Это ношение тесной одежды, горячие ванны, долгое пребывание на солнце.

В серьезных случаях необходимо медицинское вмешательство. Однако, существуют проверенные старинные рецепты, применяемые еще нашими предками, например, экстракт из индийского каштана. Действие этих средств, известных с незапамятных времен, достаточно эффективно и их можно купить в любой французской аптеке.

Настоятельно рекомендуется ежедневно выполнять гимнастические упражнения, например, прыжки, или комплекс физических упражнений два-три раза в неделю (прогулки, бег, катание на велосипеде, плавание). Одно из наиболее доступных и эффективных упражнений — это подъем пешком на нужный этаж.

— Не поддавайтесь воздействию стрессовых ситуаций

Не применяйте транквилизаторы и антидепрессанты, а занимайтесь расслабляющими упражнениями, например, йогой. Рекомендуется применение акупунктуры, гомеопатии или фитотерапии.

— *Пользуйтесь подходящими косметическими сред-*
ствами

К сожалению, нельзя достигнуть желаемого результата, пользуясь только антицеллюлитным кремом. Заметные успехи можно достичь при комплексном применении крема и вышеназванных рекомендаций.

Косметическое средство на основе кофеина заметно снижает явление целлюлита. Однако, избегайте слишком глубокого массажа, так как под его воздействием может произойти отслаивание узелков целлюлита и превращение их из стационарных в свободно блуждающие.

— *Чудодейственные средства*

Известно, что существует два противоядия, которые даже можно назвать фантастическими. Первое — это грудное молоко.

Многие из моих читательниц избавились от целлюлита с помощью грудного молока в комплексе с принципами Метода. И их предшествующая беременность здесь была ни при чем.

Для достижения результатов в избавлении от целлюлита необходимо совместить прием грудного молока и изменение привычек питания.

Будущие матери могут смело использовать это средство. Для остальных, если вы выдержите, существует второе лекарство. Это жир печени трески. Безусловно, что и оно должно применяться параллельно с изменениями привычек питания.

Научно доказан тот факт, что употребление жира печени трески приводит к существенному сокращению жировых масс, особенно, в области живота.

Принимая в день по 3 столовые ложки жира в течение 4 месяцев и следуя одновременно Методу, женщины достигли значительных результатов. В конце лечения наблюдалось не только сокращение, но и исчезновение целлюлита.

Сложность состоит в том, что решиться на такое лечение трудно.

Кроме того, надо набраться терпения, чтобы выдержать его до конца. Дадим совет, как проглотить эту жидкость: зажмите себе нос и выпейте ее залпом.

После этого выпейте сок из 2 лимонов (конечно, без сахара). Безусловно, процесс неприятный, но действенный.

— *Радикальные средства*

Если ни одно из средств, предложенных выше, не дало результатов, необходимо обратиться к врачу. Он определит вид целлюлита и метод его лечения. Существующих методов много: лимфатический дренаж, мезотерапия, расщепление жировых масс, отсасывание жировых клеток. К сожаления, недостаток этих средств в их дороговизне.

— *Принимайте лекарства*

Этому вопросу посвящена Глава VII в Части II.

Задержание жидкости в организме

Мы уже говорили, что необходимо различать избыточный вес, связанный с большим количеством жира и избыточный вес, причиной которого является накопление воды в организме.

Некоторые женщины становятся жертвами полноты по причине отечности, которая наблюдается в области суставов, живота, а также на руках. Появление отечности связано с менструальным циклом женщины. В этот период в организме удерживается максимальное количество жидкости, которое проявляется в увеличении объема груди и живота. Обычно эти симптомы сопровождаются усталостью, затрудненным дыханием при физических нагрузках, головной болью, запорами. Следствием этого могут быть нарушения кровообращения, аномальное распределения жидкости в организме и большое количество эстрогенов.

Как избавиться от недомоганий

— Необходимо строго сократить употребление соли (до 5–8 г в день) и свинины.

— Употребляйте пищу, богатую белками. Это значит, что в дневной рацион должны входить рыба, мясо, яйца, сыр.

— Пейте минеральную воду, так как она является прекрасным мочегонным средством. Женщины, страдающие от отеков, обычно ошибочно ограничивают прием жидкости.

Отметим, что действие воды как мочегонного средства усиливается, если выпивать ее лежа. Подобный прием практикуется при термальном лечении.

— Не применяйте никаких мочегонных средств, так как результат их применения может быть печален. По мере приема средств происходит привыкание организма, и к моменту завершения лечения состояние пациентки, как правило, ухудшается по сравнению с начальной стадией лечения.

— Нежелательно употребление слабительных средств при запорах. Правильное питание поможет работе кишечника (см.Главу V, Часть II).

Нарушения кровообращения рекомендуется лечить средствами, в состав которых входит витамин Р (флавоноиды).

Кроме того, для достижения успешных результатов спите в положении, когда ноги находятся выше уровня головы, бросьте курить и примените лимфатический дренаж.

Как бросить курить не прибавляя в весе

Статистические данные свидетельствуют о возрастании веса при отказе от курения. Естественно, многие женщины продолжают курить, боясь располнеть.

Мы уже говорили о причинах, по которым курящим женщинам удается сохранить свой вес стабильным.

Курение значительно повышает расход энергии организма, стимулируя процесс обмена веществ, а также увеличивая скорость прохождения пищи через кишечник. Это сокращает эффективность всасывания питательных веществ организмом.

Кроме того, никотин задерживает процесс вырабатывания инсулина. Довольно трудно предсказать, как совместить разочарование от результатов применения низкокалорийной диеты и трудности, связанные с отказом от курения.

Только следуя правилам питания, описанным в книге, можно ожидать успеха при отказе от курения.

Что делать, если вы вегетарианец

Если вы не употребляете мясной пищи, руководствуясь любовью к животным, это похвально. Если вы полагаетесь на широко распространенное мнение XIX века, что мясо является источником токсинов, то вы ошибаетесь.

Пресловутые токсины ничто иное как мочевая кислота и моча, которые вырабатываются организмом при употреблении мяса. Эти вещества прекрасно выводятся организмом при достаточном употреблении жидкости.

Вегетарианцы, как известно, не употребляют мясных продуктов. Однако, для достаточного поступления белков в организм они должны потреблять яйца и молочные продукты.

Напомним, что растительные белки не могут заменить животные белки, поскольку у них другая питательная ценность.

Содержание белков		
Соя	35 г	100%
Соевая мука	45 г	100%
Турецкий горох	78 г	70%
Чечевица	24 г	52%
Фасоль	6,5 г	17%
Мука грубого помола	11,5 г	36%

То есть, 10 г белков, содержащихся в чечевице, не могут заменить 10 г белков, содержащихся в яйцах. Это следует знать тем, кто намеревается поддерживать достаточное потребление белков, дневная норма которых составляет 1 г из расчета на 1 кг веса человека.

Для любительниц соевых продуктов сообщаем, что количество белков в них и в сое в чистом виде различно.

Содержание белков в продуктах, в состав которых входит соя из расчета на 100 г:
— Соевая мука — 45 г,
— Бобы сои — 35 г,
— Соевое тесто — 13 г,
— Побеги сои — 4 г,
— Побеги бамбука — 1,5 г.

Содержание кальция в соке сои, которое ошибочно называют "соевым молоком", по сравнению с коровьим молоком достаточно низкое: 42 мг/100 г против 120 мг/100 г. Содержание аминокислот в растительных белках ниже, чем в животных. Кроме того, злаковые белки бедны лизином, а крупы — метионином. Однако, необходимо включать необработанные злаковые, крупы и орехи в дневной рацион.

Существует много старинных рецептов, в состав которых включены злаковые и различные крупы. Например:
— Мексиканская лепешка из кукурузы и красной фасоли,
— Арабский кускус из манной крупы и турецкого гороха,
— Африканское блюдо из проса и арахиса.

Что касается яиц, то они богаты аминокислотами, состав которых прекрасно сбалансирован.

Вегетарианкам следует обратить внимание на достаточное употребление железа. Железо, содержащееся в продуктах растительного происхождения, усваивается в 5 раз меньше, чем содержащееся в продуктах животного происхождения.

Чтобы обеспечить организм витамином В12, рекомендуется употреблять сыр, яйца, морские водоросли.

Сбалансированное меню вегетарианки успешно защищает организм от появления сердечно-сосудистых заболеваний и предотвращает некоторые онкологические заболевания, в частности, рак толстой и прямой кишки. Однако, вегетарианский рацион не применим для маленьких детей, беременных женщин и пожилых людей.

Метод Монтиньяка прекрасно сочетается с вегетарианством, поскольку в его основе лежит потребление продуктов с низким гликемическим индексом.

К этим продуктам относятся:
— хлеб из муки грубого помола;
— макаронные изделия из муки грубого помола;
— чечевица;
— белая и красная фасоль;
— горох и бобы;
— необработанные злаковые и содержащие их продукты;
— свежие фрукты и орехи;
— соя и соевые продукты;
— шоколад с высоким содержанием какао.

В состав каждого завтрака может входить хлеб с высоким содержанием клетчатки, злаковые без сахара и обезжиренное молоко с шоколадными добавками.

По Методу Монтиньяка рекомендуется не меньше 3 раз в неделю употребление на ужин продуктов с хорошими углеводами. Для вегетарианцев количество этих продуктов необходимо увеличить.

Ниже приводится перечень основных блюд, которые можно выбрать по вашему вкусу:
— коричневый рис с томатной подливкой;
— макаронные изделия из муки грубого помола с соусом из томатов или молодых грибов;
— чечевица с луком;
— ассорти из белой и красной фасоли;
— горох и бобы;

— турецкий горох;
— кускус из манной крупы крупного помола без мяса;
— соевые продукты;
— продукты из злаковых;
— морские водоросли.

К основному блюду можно добавить овощной суп, цукини, овощи или салаты. На десерт советуем съесть обезжиренные молочные продукты (нежирный творог или йогурт).

Следует подчеркнуть, что вегетарианская диета, исключающая молочные продукты и яйца и состоящая только из растительной пищи, приведет к недостатку питательных веществ в организме.

Глава V

КОГДА ЖЕНЩИНЕ 50

Сто лет назад, когда женщине исполнялось 50 лет, она переступала порог старости. Естественное прекращение ее способности рожать детей звучало погребальным звоном ее женской карьере. Единственное, что ей оставалось — усердно играть роль бабушки.

Сегодня женщина в 50 лет всё еще молода и в ее распоряжении все средства, чтобы с успехом оставаться такой.

Терапия замещения гормонов (гормонотерапия), даже если в этом и нет большой необходимости, может эффективно помочь ей проходить через критический период или даже продлевать ее молодость.

Но, благодаря приобретению правильных привычек питания, она сможет не только оставаться молодой, но и предвидеть, как эффективно предотвратить опасность некоторых заболеваний: остеопороз, сердечно-сосудистые заболевания, рак и прибавление веса.

Еще раз подчеркнем, что правильно питаться — это значит оставаться красивой, молодой и в добром здравии, поскольку можно быть бабушкой, сохраняя тело молодой женщины.

Менопауза (климактерический период)

Критический возраст сегодня в моде. Или, иначе говоря, этот период в жизни женщины особенно часто мелькает в новостях. Действительно, сегодня об этом говорят намного больше, чем в недавнем прошлом, просто потому, что все большее число женщин перешагивает пятидесятилетний рубеж. Фактически рост этого слоя населения полностью соответствует резкому увеличению рождаемости в послевоенные годы.

Но менталитет этих современных женщин, которые первыми попробовали таблетки, отличается от менталитета их матерей.

Климактерический период, который для последних предвещал начало конца, для их дочерей является просто новым этапом в их женской жизни. Как и во время беременности, эти "освобожденные" женщины поняли, что климактерический период не болезнь, а просто нормальная физиологическая стадия в их женской жизни.

До 60-х годов доктора совсем мало интересовались женской сексуальностью и вообще женскими особенностями своих пациенток, за исключением тех случаев, когда женщины приходили на осмотр по поводу беременности или при рождении ребенка.

После появления таблеток ситуация приобрела новые оттенки. Диалог с врачом начался с обсуждения противозачаточных средств, гинекологических проблем и даже сексуальности.

Избавившись от старых стереотипов, климактерический период стал объектом соответствующего лекарственного лечения.

1. Что такое менопауза ?

Климактерический период — это заключительный этап работы функций воспроизводства и гормональной секреции яичников. Главным внешним проявлением этого является окончание менструаций.

Средний возраст наступления климактерического периода пятьдесят лет, но он колеблется в зависимости от расы, климата и наследственности. Хотя климактерический период у матери и у дочери часто наступает в одном и том же возрасте, курение приблизительно на два года ускоряет наступление этого момента. Современные женщины благодаря применению противозачаточных средств сумели отделить способность к воспроизведению потомства от сексуальности. Вот почему, потеря способности иметь детей не обескураживает ее так сильно. Она знает, что ее женская жизнь все еще может продолжаться.

2. Последствия менопаузы

Окончание эстрогенной секреции яичников становится причиной многих неприятностей, которые появляются и нарастают:
— приливы крови;
— недержание мочи в той или иной степени;

— сухость влагалища, которая может сделать секс болезненным;
— сухая кожа с преждевременным старением;
— начало остеопороза;

— артериальные повреждения, способные породить сердечно-сосудистые заболевания;
— психологические проблемы и устойчивость, которые порождают небольшую депрессию;
— гормональные проблемы, влияющие на увеличение веса.
Многие из этих неприятностей могут быть предотвращены благодаря правильному питанию.

3. Ешьте хорошо, чтобы оставаться молодыми

Старение человеческого организма генетически запрограммировано. Но оно может быть ускорено настойчивым влиянием внешних факторов, таких как свободные радикалы.

Свободные радикалы — это токсические вещества, которые рождаются в клетках в процессе химических реакций, в которых плохо используется кислород.

Нарушения, к которым они приводят, вызывают ускоренное старение клеток и их воспроизводство (возможность раковых заболеваний), а также сердечно-сосудистые заболевания.

Существует ряд питательных веществ, так называемых антиокислителей, которые помогают бороться против свободных радикалов. Это:
— витамин С;

246

— витамин Е;
— бета -каротин;
— селен;
— цинк;
— полифенолы.

Хорошо продуманная диета может помочь дать оптимальное число питательных веществ.

Питательные вещества	Продукты, которые содержат много питательных веществ
Витамин С	Черная смородина, петрушка, киви, брокколи, лимоны, апельсины, грейпфруты, зеленые салаты
Витамин Е	Масло из ростков пшеницы, кукурузное масло, подсолнечное масло, масло из грецких орехов, масло из виноградных косточек, ростки пшеницы, одуванчики, водяной кресс-салат, вареный шпинат, брокколи, салат, помидоры, сушеные абрикосы, манго, персики, апельсины, фактически все цветные фрукты и овощи (оранжевые, красные и зеленые)
Бета-каротин	Рыба, мясо, потроха, домашняя птица, устрицы, сырые хлебные злаки, грибы
Цинк	Устрицы, высушенный горох, кунжутные семечки, пивные дрожжи, печень, мясо, твердые сыры, чечевица, сушеные бобы
Полифенол	Красное вино, шоколад с высоким содержанием какао (+70%), чай

4. Как защитить ваши кости

Во время климактерического периода кости становятся очень хрупкими: значительно повышается опасность ломкости костей. Дополнительный прием кальция (предпочтительно в комплексе с витамином D и гормональным лечением) будет лучшей защитой ваших костей.

Порция кальция для женщин после пятидесяти должна составлять от 1 200 до 1 500 мг. в день. Но исследования продуктов питания в рационе французских женщин показали, что в среднем содержание кальция едва достигает 700 мг. в день, а это совершенно недостаточно.

Вследствие этого, после климактерического периода женщина должна есть больше не только сыра (особенно Эммантальского), но также должна избегать потерь кальция, которые возрастают при употреблении алкоголя (более половины литра в день), кофе (более четырех чашек) и курения.

Рекомендуется также провести оценку состояния костной системы в начале климактерического периода (рентгеновское исследование костей для выявления наличия остеопороза).

5. Гормональная терапия

Нужно ли коррегировать изменения, возникающие в период менопаузы ? Этот вопрос выходит далеко за рамки целей, поставленных в этой книге, и мы, очевидно, уклонились бы от этого вопроса, если бы в некоторых случаях не возникали осложнения с весом.

Женщине, которой в 1995 году исполнилось 50 лет предстоит прожить еще 30 лет. Поэтому нам стоит всерьез подумать, что надо сделать, чтобы гарантировать ей интересную и здоровую жизнь, в последующий период, который составляет более трети ее жизни.

Сохранить кожу более упругой, чтобы морщины развивались не так быстро, предотвратить остеопороз, болезненную усадку позвоночника, которая делает спину горбатой, а также способствует переломам бедра, — вот что мы надеемся достичь с помощью гормонального лечения.

Вдобавок к этому, отсутствие гормонов делает того, кто прошел через климактерический период, более склонным к сердечно- сосудистым заболеваниям (воспаление артерий, стенокардия, коронарный тромбоз).

Конечно, существует разнообразное (негормональное) лечение, помогающее облегчить приливы крови, но оно не защищает кости и артерии.

Только гормональное лечение в комплексе с эстрогеном и с натуральным прогестроном разработано так, чтобы продлить биологический баланс, который с годами обычно прерывается сам собой.

В этом случае вы протягиваете руку природе, чтобы она могла продолжить свою работу, а не идете по искусственному пути.

Критический период и вес

Если женщины прибавляют в весе во время менопаузы, они склонны винить свои гормоны, те, которые исчезли (если у нее не было гормонотерапии) или те, которые ей прописали.

Давайте сначала исследуем статистику, чтобы иметь более объективное представление:

Очевидно, что мы сможем отметить следующее:

Таблица I

Прибавка веса во время менопаузы	
без гормонотерапии	**с гормонотерапией**

52% вес не менялся
44% прибавка веса
  (от 4–6 килограммов)
4% потеря веса
  (от 2,5 до 7,5 кг)
	67% вес не менялся
	31% прибавка веса
	  (4–7 кг)
	2% потеря веса

Увеличение веса после удаления матки	
Частичное удаление матки (только удаление матки)	**Полное удаление матки (удаление матки и яичников)**
35% прибавили в весе 56% поддерживают свой вес 9% потеряли в весе	50% прибавили в весе 33% поддерживают свой вес 17% потеряли в весе

Изменения в весе у полных женщин в возрасте между 52 и 58
43% излишек веса (27% из них страдают ожирением в медицинском смысле этого термина) 52% имеют нормальный вес 5% недостаточные вес

Статистика была бы неполной, если не принимать во внимание общую динамику веса у женщин в возрасте между 20 и 52 годами:

— во первых, немного менее, чем у одной женщины из двух возникают проблемы с весом во время менопаузы (43%);

— во вторых, увеличение веса намного меньше, если женщина проходила гормонотерапию (31% против 44%);

— в третьих, самое большое увеличение веса бывает при полном удалении матки (50%).

Необходимо отметить, что в среднем динамика увеличения веса у французских женщин постоянная: начиная с юности и в течение тридцати лет (между 20 и 50 годами) она набирает в среднем около 10 килограммов, начиная с 53 и до 63 килограммов.

Как это ни парадоксально, можно заметить, что увеличение веса после пятидесяти, иначе говоря в критическом возрасте, замедляется.

Опыт врачей позволяет нам утверждать, что, хотя женщины прибавляют в весе во время менопаузы (применяя или не применяя гормонотерапию), это всегда те, кто уже имеет небольшой избыточный вес. Из них 27% уже страдают ожирением, как показано в таблице III.

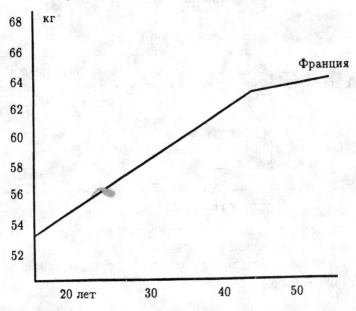

Среднестатистическая кривая роста веса женщин

Можно прийти к заключению, что в противоположность некоторым предвзятым представлениям менопауза не является решающим фактором в прибавлении веса. Критический возраст только фактор, который усиливает это для тех, кто особенно чувствителен к прибавлению веса.

Другими словами, не внезапное отсутствие гормонов или

гормональное лечение делает женщин более полными, а изменения в обмене веществ, вызываемые физиологическими преобразованиями в их организме, которые могут привести к отложению запасов жира у уязвимого в этом плане человека.

Как же мы сможем определить, какой организм подвержен увеличению веса, если не измерим склонность к гиперинсулинизму ?

Было показано, что снижение острогенов и, более того, их исчезновение, приводит к снижению терпимости к глюкозе и снижению чувствительности к инсулину, который, очевидно, способствует сначала атаке на сопротивление инсулину, и, таким образом, повышению уровня инсулина.

Уровень инсулина в период менопаузы

Избыточный вес человека	На пустой желудок	Через 2 часа после приема 75гр. глюкозы	Коэффициент умножения
1–3,3 кг	48	260	5,4
3,5–6,5 кг	50	280	5,6
6,6–10,6 кг	52	320	6,1

Эта таблица ясно показывает два явления:
— вначале, после приема глюкозы инсулинемия непропорциональна в период менопаузы;
— затем, эта диспропорция умножается на количество избыточного веса;

Другими словами, чем полнее каждый человек, тем больше гиперинсулинизм, и наоборот, чем больше у вас гиперинсулинизм, тем больше у вас тенденция пополнеть.

Как избежать жировых отложений во время менопаузы?

Оба случая, с гормонотерапией и без нее, должны быть рассмотрены отдельно.

1. Без гормонотерапии

Это особенно трудный случай, так как мы видели, что вероятность увеличения веса (от 4 до 7 кг) существует в 44% случаев.

Для тех, кому повезло и кто уже достаточно строен или даже худ, вероятность увеличения веса практически равна нулю. Если у них никогда не было избыточного веса(несмотря на плохие привычки в питании), это означает, что у них поджелудочная железа выбрасывает железо и следовательно мало вероятно, что этот орган внезапно станет подвержен гиперинсулинизму из-за дефицита эстрогена.

Чтобы быть на 100% уверенным в этом, всё, что им следует сделать, это соблюдать принципы Метода, переходя непосредственно к Фазе 2.

Для тех женщин, у которых уже есть избыточный вес, проблема будет гораздо более трудной, если у них большой избыток веса.

Наилучшим решением было бы, естественно, решить проблему раз и навсегда задолго до достижения периода менопаузы, так как мы знаем, что он является фактором, влияющим на увеличение веса.

Чем полнее женщина в период менопаузы, тем больше она подвержена риску стать еще полнее и наоборот.

В любом случае, опыт показал, что применение принципов Метода, в особенности, следование очень точно Фазе 1, даст ободряющие результаты, и это является лучшим путем избежать дополнительного увеличения веса. Но, кроме того, вам прийдется учесть другие факторы, которые мы собираемся обсудить в конце этой главы.

Потеря веса у женщин в 50 лет и старше при использовании Фазы 1

BMI	Средняя потеря веса через 4 месяца	Потерянный вес в %
24–29	–9,2 кг	–12,4%
30 и более	–15,1 кг	–16,8%

2. С применением гормонотерапии

Поскольку риск прибавления веса в течение критического периода без гормонотерапии очевиден (мы видели, что недостаток эстрогенов увеличивает гиперинсулинизм), вы могли бы соблазниться и подумать, что гормональное лечение — это панацея.

Несмотря на то, что оно предоставляет бесспорные преимущества, далеко не гарантировано, что вы не наберете вес, хотя статистически это менее вероятно, чем без лечения (35% против 44 %).

Давайте вместе попытаемся понять почему это так.

По своей природе эстрогены могут привести к:

— увеличению подкожной массы жира, расположенной на бедре;
— расщеплению жира в брюшной полости;
— задержке воды;
— увеличению мышечной массы.

Прогестероны,в свою очередь, могут привести к:

— увеличению аппетита;
— росту жировых клеток в брюшной полости;
— задержке воды и натрия.

Подведем итоги — эстрогено-прогестероновая гормонотерапия производит эффект пускового механизма прибавления веса из-за:

— возможного роста нежировой ткани (мускулов);
— возможной задержки воды;
— возможного роста жировой ткани.

Но мы теперь знаем, что относительное прибавление веса обусловлено двумя параметрами:

— возможный предшествующий избыточный вес и его уровень (чем толще вы были, тем больше риск потолстеть, и это связано с гиперинсулинизмом);
— выбор лечения, сделанный доктором.

Врач Д. Элиас, гинеколог, написал: "Нет женщин, которые не могут выдерживать гормонотерапию. Есть только гормонотерапии, которые плохо приспособлены к индивидуальности каждой женщины. Не следует забывать, что передозировка или, напротив, недостаточное количество эстрогенов способны спровоцировать увеличение веса."

Поэтому вводится "испытательный" период, чтобы определить оптимальную дозу лекарства, во время которого женщина, находящаяся в менопаузе, может поддерживать свой вес.

Хорошо проводимое лечение не ведет (в среднем) к прибавлению веса, наоборот:

	Перед лечением	После лечения
Средний вес женщины	57,1±2,6 кг	56,8±2,7 кг

Таблица показывает, что выбор предложенных гормонов, их эффективность и точное назначение дозы являются самым важным.

Однако, слишком часто врачи (и иногда даже некоторые специалисты) прописывают типовое лечение, не учитывая особую чувствительность отдельных женщин.

Было бы глупо полагать, что существует стандартная форма гормонального лечения в период менопаузы. Лечение должно быть приспособлено к пациенту. Многие практикующие врачи, пожалуй, мало заботятся об эстетических переживаниях своих пациенток.

Чтобы оправдать их, следует сказать, что фармацевтические лаборатории ничего не делают, чтобы им помочь, поскольку они скрывают возможные проблемы увеличения веса в общей статистике, которая никогда не делала различий между специфическим воздействием гормонов на женщин с учетом их веса перед лечением.

Вот почему плохо проведенное лечение могло привести к тому, что любая женщина прибавляла в весе и в особенности те, кто уже не был худым. Это значит, что гормонотерапия требует регулярного и внимательного наблюдения, поскольку малейшее увеличение веса должно повести к изменению дозировки или даже поставить под вопрос лечение в целом.

Многие женщины совсем не прибегают к гормонотерапии, потому что их волнует отсутствие точных объяснений о побочных явлениях и риска при этом лечении.

Поэтому 30% женщин не покупают лекарства, которые им прописывают, и 20% отказываются от них раньше, чем через год по собственному усмотрению, даже если они уже начали лечение.

Поэтому из девяти миллионов женщин во Франции только 10% получают надлежащее лечение.

Подводя итоги отметим, что при использовании гормонотерапии во время менопаузы, можно предпринять следующие предосторожности, чтобы предотвратить увеличение веса:

— убедиться, что лечение приспособлено к вашим потребностям;

— следовать принципам Метода, чтобы избежать любого дополнительного риска гиперинсулинизма.

3. Как похудеть в период менопаузы

Мы увидели, что в среднем прибавление веса у женщин между 30 и 50 годами составляет, согласно статистике, около 10 килограммов.

Многие женщины не следят за собой. В результате плохие рекомендации во время беременности и накапливающиеся последствия плохих привычек в питании ведут к относительному прибавлению в весе.

И в период менопаузы, когда они начинают понимать, что существует угроза дополнительного увеличения веса (с гормонотерапией или без нее), они решают наконец взять быка за рога и серьезно подумать о похудании.

Никогда не поздно попытаться, но вы можете представить себе расстройство (не говоря уже о разочаровании, возникающем, в конечном счете, от неудовлетворительных ре-

зультатов), которое охватит пациента, если он предпочита-
ет следовать "сопутствующей" низкокалорийной диете.

Пересмотр привычек питания без любых ограничений,
как предлагает Метод Монтиньяка, — это единственный
приемлемый подход к пище, в особенности, потому, что, как
мы увидим в дальнейшем, в период менопаузы женщины
часто испытывают небольшую депрессию.

Другие факторы во время менопаузы

Менопауза может привести к различным осложнениям:
— недостаточности щитовидной железы;
— депрессии;
— стрессу из-за изменения образа жизни;
— более сидячему образу жизни.

Другими словами, в период менопаузы могут возникнуть
различные обстоятельства, которые могут способствовать
увеличению веса.

1. Обратим внимание на депрессию !

Менопауза утомительна. Практикующий врач, исключив
возможность увеличения щитовидной железы или недостаток железа, должен поискать обстоятельства, вызывающие
депрессию, которые могут быть непосредственно связаны с
менопаузой или с событиями, которые происходят в это время.

Профессор А.Басдевант исследовал последствия воздействия различных психологических травм на вес.

Он установил, что их воздействие может привести или
к увеличению веса, или к уменьшению в зависимости от
вашей индивидуальности.

Замечено, что именно сексуальные проблемы чаще всего
ведут к большому увеличению веса. Они могут быть соеди-
нены с унизительным и скрываемым недержанием мочи.

Те, кто страдает от избыточного веса хорошо знают,
что отсутствие удовольствий легко восполняется обильны-
ми трапезами.

Жизненные трудности	Увеличение веса		Потеря веса	
	процент женщин	количество в килограммах	процент женщин	количество в килограммах
Депрессия	28%	+7,8±4,3	27%	−7,7±3,6
Тяжелая утрата	9%	+8,5±4,3	26%	−6,7±2,7
Развод	15%	+8,5±4,3	36%	−8,3±4,2
Семейные неприятности	14%	+6,9±3,1	14%	−6,6±2,5
Трудности с замужеством	12%	+7,9±3,1	12%	−8±3,7
Сексуальные проблемы	15%	+19,5±25,3	12%	−7,8±2,3
Финансовые проблемы	10%	+7,1±3,6	10%	−6,3±2,5
Осложнения на службе	14%	+8,2±4,5	8%	−6,5±3,2
Переезд	2%	+5±0,9	7%	−5,6±1,9

Добавим к этому, что гормональная недостаточность, связанная с менопаузой, ведет к сверхчувствительности.

Стресс может даже способствовать выделению кортизола в надпочечнике. Это ведет к следующим последствиям:

— увеличение жира в брюшной полости;

— возрастание аппетита;

— задержание воды сверх нормы;

— потеря тощих мышечных тканей.

Гормонотерапия, если она хорошо учитывает индивидуальные потребности, обычно устраняет эти трудности.

Необходимо следить за достаточным поступлением магния в организм, это поможет женщине сократить ее повышенную чувствительность к окружающим событиям.

2. Обратите внимание на ацидоз

Проблема ацидоза, когда о ней заговаривают, вызывает улыбку большинства врачей, так как они редко обращают на это внимание.

Однако, похоже, что она упоминается все чаще.

Число антикислотных средств, доступных без врачебного рецепта на американском рынке, вызывает серьезную озабоченность. Доктор К.Костин, со своей стороны, отмечает огромное значение правильного баланса основных кислот.

В своих публикациях она показала, что современная обработка продуктов питания, богатых углеводами, и мясо могут привести к развитию ацидоза. При стимулировании симпатической реакции это ведет к следующим симптомам:

— утомление, особенно по утрам;

— желудочная кислотность;

— обрюзглость;

— запоры;

— ощущение холода;

— недостаточность глюкозы;

— психологическая неустойчивость, соединенная с сильной раздражительностью и большей уязвимостью по отношению к стрессам.

Поэтому доктор К.Костин предлагает ограничить прием продуктов, способствующих образованию кислоты (мясо, твердые сыры, белый хлеб, макароны из муки высшего сорта, сахар, алкоголь, чай, кофе) и отдать предпочтение щелочным продуктам(яичный желток, йогурт, свежеферментированные молочные продукты, зеленые овощи, лимон, соя, свежие и сушеные фрукты) или употреблять нейтральные продукты (грецкие орехи, твердые хлебные злаки).

Для контроля кислотности можно ежедневно по утрам выпивать свежевыжатый сок двух лимонов и в течение дня пить щелочную воду типа Виши (Боржоми).

Если у вас острая изжога, всегда можно вернуться к старому лекарственному средству- питьевой соде, которой пользовались наши дедушки и бабушки.

Все что Вам нужно сделать, чтобы проверить,какая у вас кислотность — это купить у фармацевтов полоски лакмусовой бумаги и опустить их во вторую утреннюю мочу. pH должен быть выше 7.

Спорт в пятьдесят лет

Основные постулаты низкокалорийной диеты базируются на том, что к избытку веса приводит повышенное потребление энергии и недостаток физических упражнений.

Как тогда объяснить, что мадам Ла Баронне, которая никогда не покидает своего будуара в стиле Луи XV, и жена очень богатого промышленника, принадлежащая к буржуазным кругам, которая обходится без лифта в своих роскошных апартаментах в 16 районе Парижа — обе соответствуют идеалу стройности?

Как можно объяснить, что их горничные, уборщицы и другая домашняя прислуга, которая постоянно активно занимается домашней работой, в большинстве своем "толстушки".

Физические упражнения и спорт сами по себе никогда не сделали кого-либо худым, и мы объяснили в Главе VII, Части 1 процессы, лежащие в основе этого.

Мы не хотим сказать,что физическая активность бесполезна. Наоборот. Но еще раз подчеркнем, что абсолютно необходимо забыть ошибочную концепцию "расхода энергии", и сконцентрироваться на преимуществах, которые дает организму нормальная стимуляция мышечной системы.

Позвольте напомнить, что физическая активность может только помогать похуданию, если (и это обязательно) вы меняете свои привычки питания так, как описано в этой книге.

После первой стадии потери веса продолжайте увеличивать физическую активность.

Тренировка мускулов в рамках Метода позволят Вам:

— увеличить, в конечном счете, устойчивость к действию глюкозы;

— снизить гиперинсулинизм, который поможет липолизу (и, таким образом, приведет к потере веса);

— снизить сопротивление инсулину.

Физические упражнения (в основном) улучшают содержание липидов в крови(триглицеридов, холестерина и т.д.), понижают высокое кровяное давление (если оно было) и являются превосходной профилактической мерой при сердечно-сосудистых заболеваниях.

Не забывайте того, что в период менопаузы женщина теряет естественную защиту своих гормонов, что делает ее такой же уязвимой к болезням, как мужчину.

Физические упражнения, кроме того, являются великолепной профилактикой против остеопороза в период после менопаузы. Но эффективными могут быть только регулярные и продолжительные занятия.

Вы можете попросить физиотерапевта или спортивного врача составить личную программу тренировок, приспособленную к вашим нуждам.

Даже если у вас нет времени или решимости терпеливо заниматься спортом, существуют некоторые основные принципы, которые легко приспособить к вашей повседневной жизни. Все, что следует сделать - это изменить некоторые плохие привычки на хорошие.

— Откажитесь от лифтов и эскалаторов. Оставьте время для соблюдения основного принципа — всегда подниматься пешком по лестнице.

—Гуляйте как можно больше. Если вы живете в городе и регулярно пользуетесь общественным транспортом, выходите на две остановки раньше и проходите остаток пути пешком. Гуляйте минимум полчаса в день. В выходные дни отправляйтесь на прогулку на час или два пешком.

— Воспользуйтесь преимуществом вашего отпуска и "сдвиньтесь с места" вместо того, чтобы лежать в шезлонге. Гуляйте вдоль берега по пляжу, шлепая ногами по воде. Отправляйтесь за город или в горы на пикник пешком или на велосипеде. Занимайтесь гимнастикой и плаванием.

Понемногу вы полюбите это, и то, что вначале могло казаться скучным, очень скоро станет источником благополучия. Постепенно ваша фигура улучшится, и вы ощутите возможности своего организма

Женщины, страдающие диабетом

Диабет определяется высоким содержанием глюкозы в крови как до еды, так и после нее. Можно выделить два совершенно разных типа диабета:

1. Тип II — или "Жирный диабет "

Этим диабетом часто страдают женщины около 50 лет и он, обычно, сопровождается избыточным весом.

В этом случае мы имеем дело с поджелудочной железой, которая вырабатывает чрезмерное количество инсулина. Но, поскольку это гормоны "плохого качества" или клетки организма не распознают их как следует, они остаются почти неиспользованными.

Гиперинсулинизм связан с сопротивлением инсулину. Гликемия остается выше нормы, поскольку секреция инсулина не способна понизить ее.

Необходима потеря веса, чтобы позволить гликемии вернуться к норме. Принципы Метода Монтиньяка особенно хорошо подходят к этому виду диабета, поскольку они основаны, как вам известно, на выборе углеводов с низким гликемическим индексом.

Изучение показало, что снижение в среднем на 14% гликемического индекса в продуктах питания (отказ от белого хлеба и картофеля в пользу макарон из муки грубого помола и очищенных бобов) может улучшить контроль за обменом веществ у тех, кто страдает диабетом.

Поэтому больной диабетом должен получать продукты,

богатые клетчаткой и, в особенности, растворимой клетчаткой (пектин в яблоках, альгинаты в морской водоросли, клей в очищенных бобах и т.д.).

Их питание должно включать довольно много питательных микроэлементов (хром, витамин В1), так как они улучшают углеводный обмен веществ. Они, в основном, содержатся в грубых хлебных злаках, пивных дрожжах и ростках пшеницы.

Таким образом, больной диабетом должен ограничить количество насыщенных жиров, употребляемых в пищу (мясо, продукты из свинины, масло, продукты из цельного молока), отдавая предпочтение полиненасыщенным или лучше мононенасыщенным жирам, подобным натуральному оливковому маслу, которое обладает свойствами, понижения гликемии и выравнивания баланса у больных диабетом.

Пациент не должен забывать пить достаточное количество воды (минимум 1,5 литра в день).

2. Диабет I типа или "Тонкий диабет"

Такой диабет проявляется рано, в грудном возрасте или в молодости. Он характеризуется тем, что поджелудочная железа функционирует неправильно и перестает вырабатывать инсулин, что ведет к необходимости вводить инсулин извне в форме инъекций. Избыток веса встречается реже, чем в первом случае.

Диабетики должны справляться с суточной дозой углеводов, которую следует распределять между тремя приемами пищи в день. Рекомендуется есть рыбу и нежирную домашнюю птицу, сопровождаемую углеводами с низким гликемическим индексом (чечевица, сушеные бобы, коричневый рис, макароны из муки грубого помола и т.д.).

Богатое клетчаткой продовольствие, которое мы рекомендуем для их питания, часто может помочь снизить дозы инсулина и в любом случае избежать гипергликемию.

Для любого больного диабетом опасность представляет возникновение сердечно-сосудистых повреждений (глаза, почки и проблемы с сердцем), которые следует избегать любой ценой. Важно следовать Методу, имея ввиду его профилактическое воздействие, хотя это и не заменяет советы вашего врача. Метод позволяет вам:

— выбор углеводов с низким гликемическим индексом, которые помогают понизить плохой холестерин и триглицерид;

— помощь в увеличении "хорошего холестерина" и сокращении триглицерида, которая достигается выбором поли- и мононенасыщенных жирных кислот.

— потерю веса, которая часто означает, что кровяное давление возвращается к норме, сокращая работу сердца, облегчая физические упражнения, снижая опасность сердечно-сосудистых заболеваний.

— диета, богатая питательными микроэлементами (витамин С, витамин Е, бета-каротин, цинк, селен, полифенол и т.д.), защищает стенки артерий.

Таким образом, выбор питательных веществ, которые мы рекомендуем, может привести к предотвращению сосудистых осложнений при диабете, которые усугубляют это заболевание.

Запоры у женщин

Запоры определяют как запоздалое выведение из организма кала из-за его обезвоженности. Запоры происходят, когда опорожнение кала происходит реже, чем три раза в неделю, поскольку нормальный человек опорожняет желудок в пределах от 3 раз в день до 4 раз в неделю.

Более половины людей в нашем обществе жалуются на запоры и среди них три четверти женщины.

Мы различаем, в основном, две причины запоров: или утрата рефлекса выталкивания, или замедленное продвижение вещества через толстую кишку.

В тех случаях, когда потеряно чувство необходимости пойти в туалет, лекарства, а часто даже и диеты, неэффективны. Если случай серьезный, тогда должно быть предпринято настоящее переобучение потерянного рефлекса с помощью физиотерапевта.

Если, с другой стороны, это связано с атрофированием

кишечника, которое встречается наиболее часто, лечение должно включать:

— корректировку диеты;

— лечение кишечника, во время которого привычка ходить с регулярными интервалами, чувствуете ли вы потребность или нет, будет заново восстановлена;

— физические упражнения (прогулки, плавание, езда на велосипеде, гимнастика) для укрепления брюшной мышцы;

— полный отказ от слабительных средств, так как они нарушают физиологию. Их чрезмерное использование ведет к патологии кишечника с трудно излечимым поносом, болями в желудке и значительным снижением содержания калия;

— отказ от медикаментов, которые вызывают запоры, таких, как антидепрессанты,

— прекращение низкокалорийной диеты, которая вызывает гастрорефлекс толстой кишки;

— отказ от некоторых плохих привычек, таких как питье керосина, так как, в конечном счете, это опасно.

Питание женщины, страдающей запорами

Вам следует начинать день с приема стакана свежего фруктового сока поутру. Сок,выпитый натощак, вызовет рефлекс толстой кишки и желание идти в туалет.

Обогащайте свою пищу клетчаткой. Потребление цельных зерен (макароны, рис, хлеб грубого помола) а также бобовых растений, которые богаты нерастворимой клетчаткой, должны в значительной степени удовлетворить потребность. Если необходимо, вы можете добавить 20 граммов пшеничных отрубей (экологически чистых), смешанных с молочными продуктами (обезжиренный творог, йогурт).

Внезапное поглощение сразу больших количеств клетчатки может привести к вздутию, газам или даже болям в животе, если кишечник расстроен и раздражен. Поэтому будьте осторожны в этом случае, и вводите ее постепенно. Начните приблизительно с 5 граммов отрубей в день и увеличивайте их на 5 граммов каждую неделю, пока вы не достигнете необходимого количества.

Даже если кишечник вначале немного протестует, продолжайте их принимать, поскольку эти симптомы не опасны
и являются свидетельством того, что толстая кишка снова
начинает функционировать нормально.

Ваша пища должна сама по себе содержать необходимое
количество клетчатки, чтобы не обращаться к различным
смолам и слабительным средствам, которые продаются фармацевтами.

Недостаточное поступление жидкости в организм (меньше, чем 1,5 литра в день) значительно затрудняет опорожнение кишечника. Для борьбы с запорами примите столовую
ложку оливкового масла натощак и выпейте вслед за этим
немного свежевыжатого лимонного сока.

Отметим, что лечение запоров очень важно, поскольку
способствует предотвращению:

— выделения кислоты, вызванной раздражением желудка;

— ущемления грыжи;

— варикозных вен, появляющихся в момент напряжения
живота, когда люди, страдающие запором, опорожняют кишечник.

Колит у женщин

Когда мы говорим о "колитах" или о "синдроме раздра-
женного кишечника", мы имеем ввиду повышенную чувствительность к ферментации и крахмалу большого кишечника.

Эта реакция, вызывается болезненным сокращением или
воспалением стенок кишечника. Она может сопровождаться
запорами или поносом.

При диверкулезе толстой кишки богатая клетчаткой диета обязательна, так как она позволяет избежать инфекции
и предотвращает возникновение рака толстой кишки.

При воспалении временно необходима другая модель питания.

Тогда разрешается следующее:

— постное мясо без соуса;
— обезжиренная ветчина;
— постная рыба, приготовленная в фольге или сваренная в небольшом количестве воды;
— яйца, приготовленные без жиров;
— сыр эмментальский;
— белый рис;
— макароны из муки высшего сорта;
— манная крупа;
— профильтрованный овощной суп;
— смесь вареных овощей, кабачки, зеленые бобы;
— мусс из овощей, брокколи, шпинат, морковь, сельдерей;
— очищенные вареные фрукты;
— процеженный фруктовый сок;
— фруктовое желе;
— масло, растительное масло, маргарин;
— минеральная вода без газа;
— напиток из цикория.

Однако, эта несбалансированная диета не должна соблюдаться слишком долго.

При систематическом колите из-за того, что кишечная реакция часто бывает болезненной, пациент постепенно исключает большое количество продуктов из своей диеты. Наконец наступает момент, когда ограничения настолько велики, что прием продуктов питания полностью разбалансирован !

Мы встречаем людей, которые исключают все молочные продукты, так как они считают, что это основная причина колита. Такое решение может легко привести к дефициту белка или кальция и не следует так легко принимать его.

Люди, у которых существует аллергия к белкам из коровьего молока, встречаются редко, и диагноз может быть поставлен после полного обследования на любые аллергены у специалистов.

Непереносимость лактозы, входящей в состав глюцида (жир в молоке), встречается гораздо чаще, но это не должно мешать употреблению молока с ферментами (йогурт, сыр), которые всегда хорошо переносятся.

Некоторые люди, боясь болей в толстой кишке, стараются совсем исключить продукты, богатые клетчаткой. Это, пожалуй, основная ошибка, потому что клетчатка устраняет трудности, возникающие при прохождении вещества через кишечник (понос или запор).

Чтобы достичь результата, важно использовать клетчатку правильно.

— Начните с того, что успокойте толстую кишку, соблюдая в течение недели диету, свободную от клетчатки, затем введите ее снова очень интенсивно, начиная с нежных зеленых овощей и очищенных вареных фруктов;

— Одновременно повысьте у себя содержание витамина С, выпивая процеженные фруктовые соки;

— Затем очень интенсивно снова введите в рацион свежие продукты, овощи, салаты, фрукты;

— В заключение вы можете добавить немного отрубей, увеличивая их количество от 5 граммов в неделю, до достижения дозы в 20 граммов. Частью этой программы является употребление грубо очищенных продуктов питания;

— Хорошо пережевывайте крахмалы так, чтобы дать ферментам в слюне время поработать в ротовой полости, иначе, несмотря на работу поджелудочной железы, отходы крахмала будут вызывать брожение в толстой кишке, что приведет к возникновению газов, и дискомфорту;

— Для облегчения боли или поглощения газов, вы можете принимать уголь или глину;

— Если вы страдаете сильными болями, можете принять антиспазматическое лекарство;

— Наконец, вы не должны забывать, что округленный вздутый живот часто является признаком стресса, Если это так, было бы лучше принимать пищу в тихом месте, неспеша, с кем-нибудь, с кем вы можете расслабиться. Еда, съеденная в одиночестве, без дружеской компании, обычно съедается чересчур поспешно;

— Время от времени, в течение дня, желательно подумать о выполнении нескольких дыхательных упражнений, втягивая живот как можно глубже. Это поможет укрепить мускулы стенок желудка и послужить хорошим массажем для толстого кишечника. Десять минут отдыха после еды тоже могут быть эффективными.

Исключение составляют случаи, когда действительно существуют серьезные личные проблемы, и трудности с запорами переворачивают жизнь человека. В остальных случаях не обязательно обращаться к психотерапевту.

Достаточно соблюдать правильный стиль жизни, следовать советам о питании и чаще общаться с врачом.

Предотвращение онкологических заболеваний с помощью продуктов питания

В 1984 году конференция,посвященная предотвращению онкологических заболеваний с помощью диеты в Центре борьбы с онкологическими заболеваниями под Парижем, казалась присутствующим специалистам неуместной.

Сегодня положение немного изменилось, и считается, что в 80% случаев причиной онкологических заболеваний считается окружающая среда и что почти в 40% случаях из них виновато продовольствие.

1. Что такое онкологическое заболевание ?

Онкологическое заболевание происходит в результате воздействия различных факторов, связанных с изменениями в окружающей среде. Особая роль в их возникновении принадлежит наследственности и процессам обмена веществ в организме человека.

Под воздействием факторов окружающей среды вещества, вызывающие онкологическое заболевание, на ранней стадии развития контактируют с одной или несколькими клетками в организме.

Эти клетки преобразовываются с потенциальной возможностью быстро изменяться и размножаться.

Затем не вызывающее онкологическое заболевание вещество провоцирует размножение клеток и, в конечном счете, формирует опухоль.

Клетки становятся злокачественными только после цепи патологических трансформаций. Продукты питания представляют только одно звено в этой цепи, и оно может стать определяющим.

2. Причины онкологических заболеваний

Причины возникновения онкологических заболеваний изучали в ходе разных эпидемиологических исследований. Учитывались как географические данные, так и наблюдения за индивидуумами.

В одном случае проводились сравнения видов продуктов, употребляемых в двух странах и частотность возникновения одного и того же вида онкологического заболевания. В другом случае было проведено сравнение продуктов, употребляемых людьми, заболевшими онкологическим заболеванием, и здоровыми людьми. Однако, за эти годы открылись главные направления для решения этой проблемы. Даже если их выводы должны интерпретироваться с осторожностью, выполненные исследования позволили определить, какие продукты и питательные вещества, вероятно, способствуют возникновению онкологических заболеваний, а какие играют защитную роль.

3. Продукты питания и питательные вещества, которые могут быть причиной возникновения онкологических заболеваний

а. Белки

В процессе приготовления пищи, содержащей белки животного происхождения, происходит образование гетероциклических аминокислот, которые могут провоцировать возникновение рака прямой кишки и толстой кишки.

Вот почему опасность заболевания этими видами рака увеличивается в 2,5 раза для тех, кто употребляет мясо каждый день (говядина, телятина, свинина и баранина) по сравнению с теми, кто употребляет эти продукты только раз в месяц.

С другой стороны опасен дефицит белка, который ведет к дефициту иммунитета, снижая активность лимфоцита Т, что облегчает развитие онкологического заболевания.

б. Липиды

Избыток насыщенных жиров в диете является вероятной причиной появления рака груди, яичников, матки, толстой кишки и прямой кишки.

До тех пор, пока Япония была верна своим кулинарным традициям, где содержалось немного животных жиров, эти виды онкологических заболеваний оставались редкими, Но в результате возросшего влияния Запада на японскую модель питания, рак груди вырос на 58% между 1975 и 1985 годами!

Излишки жира у страдающих ожирением женщин увеличивает вероятность заболевания раком груди. Мужской тип ожирения (в форме яблока) более опасен в этом отношении, чем женский тип ожирения (в форме груши). Однако, при мужском ожирении заболеваемость раком груди обнаружена в шесть раз чаще,так как накопление жира в верхней части тела значительно нарушает работу гормональной системы.

Но не следует думать, что надо бороться со всеми жирами, поскольку наиболее опасными являются насыщенные жиры, содержащиеся в мясе и молочных продуктах. Рыба, оливковое масло и масло энотеры, в свою очередь, могут содержать липиды, обладающие защитными свойствами против онкологических заболеваний. Снижая свой холестерин до нормального уровня, не переусердствуйте !

Фактически доказано, что снижение уровня холестерина ниже 1,80 г/л может в последующие 10 лет привести к образованию рака прямой кишки. Особое внимание должно быть уделено сохранению необходимого равновесия между жирными кислотами, насыщенными и ненасыщенными кислотами, содержащимися в продуктах питания.

в. Соль

Пересоленные продукты питания, включая мясо, свинину и рыбу, которые хранились замаринованными в соли, могут привести к раку желудка. Японцы хорошо знают это, посколько они заплатили высокую цену за свои методы хранения.

Частота онкологических заболеваний в Японии снизилась на 64% с тех пор, как стало принято хранение продуктов в рефрижераторах и они чаще начали употреблять свежие продукты.

г. Алкоголь

Алкоголь вместе с табаком являются факторами, вызывающими онкологические заболевания. Однако, их прямое воздействие плохо изучено, так как лабораторные животные отказываются от алкогольных напитков. Таким образом, нет экспериментальной модели, которая позволила бы изучить физиологические изменения, которые вызывают алкоголь и курение. Алкоголь изменяет проницаемость клетки стенок кишечника так, что он позволяет веществам, вызывающим онкологическое заболевание, проникнуть внутрь клетки.

Потребление чистого алкоголя (в граммах в день)	Риск онкологических заболеваний
от 30 до 40	×2
от 40 до 80	×4
от 80 до 100	×10
свыше 100	×20

Франции принадлежит печальное первенство по мировому рекорду по числу онкологических заболеваний, вызванных алкоголем (глотка, рот, пищевод, гортань, печень). Около 14 тысяч человек ежегодно умирает от этих видов рака.

Давайте вспомним, что литр вина с 10 градусами алкоголя содержит 80 граммов алкоголя. Соединение алкоголя и табака еще более ядовито. Таким образом, литр вина (или его эквивалент в спирте, пиве, аперитиве), дополненный курением 20 сигарет в день, вдвое увеличивает возможность возникновения онкологических заболеваний.

Одна треть онкологических заболеваний происходит из-за курения, которое, в 90% случаев приводит к раковым образованиям в легких, дыхательных путях, пищеварительном тракте, пищеводе и мочевом пузыре.

Плохой уход за зубами, который часто встречается у пьющих и курящих, еще больше увеличивает риск.

Люди часто жалуются, что онкологическое заболевание — ужасная болезнь, и медицинские исследования идут слишком медленно; основные причины заболевания раком не найдены и нет достаточно эффективного лечения. Но давайте задумаемся: число онкологических заболеваний упало бы на 56%, если бы курение и злоупотребление алкоголем было бы остановлено.

д. Дефицит питательных микроэлементов

Бета-каротин, витамин С, витамин Е и цинк предупреждают образование свободных радикалов и тем самым защищают от онкологических заболеваний.

Недостаток любого из этих питательных микроэлементов увеличивает фактор риска онкологическими заболеваниями.

е. Пестициды

Профессор Ревиллард заметил, что пестициды влияют на некоторые клетки печени и легких, которые связаны с иммунной системой организма.

Среди используемых в настоящее время пестицидов, карбонил препятствует действию белых кровяных телец, а линдан способствует образованию патологических веществ, подобных свободным радикалам (увеличивающим риск онкологических заболеваний).

ж. Нитраты и нитриты

Имеющее место в некоторых районах Франции содержание в водопроводной воде свыше 100 мг/л нитратов вызывает беспокойство.

Нитриты долгое время использовались для сохранения свинины. Когда их использование снизилось на 75% и заболевание раком желудка тоже снизилось на 66%.

Некоторые виды пива до сих пор содержат нитрозамин, и это является причиной рака пищеварительного тракта.

4. Способы приготовления пищи и онкологические заболевания

Барбекю (жаркое на вертеле), которое пахнет отпуском и травами, может стать опасным, если не зажечь его правильно и осторожно, однако, его приготовление на вертеле может стать бомбой замедленного действия.

Когда огонь растапливает жиры (липиды) в мясе или рыбе, они капают вниз на активированный уголь и в результате происходит реакция пиролиза. Он ведет к образованию бензопирина, являющегося канцерогеном, не говоря уже о других полициклических гидрокарбонатах, содержащихся в дыме, которые пропитывают барбекю. Вот почему приемлемо только вертикальное приготовление барбекю.

Мы уже упоминали, что копчености (мясо, свинина, рыба) долгое время были причиной рака желудка в тех странах, где такие продукты употребляли в пищу круглый год (в странах Балтики и Японии).

Мы хотели бы добавить к этому, что следует избегать перегревания масла потому, что при температуре свыше 130 градусов образуется акролеин, являющийся канцерогенным веществом.

5. Питательные вещества, защищающие от онкологических заболеваний

а. Антиокислители

Давайте вспомним их список (Глава VI, Часть I: таблица витаминов):
— витамин C,
— витамин E,
— бета-каротин,

— селен,
— цинк,
— полифенолы.

б. Кальций

Дефицит кальция многократно увеличивает возможность заболевания раком толстой кишки и раком прямой кишки. С другой стороны, 1 250 мг кальция в день в течение трех месяцев в ходе эксперимента замедлили быстрое увеличение опухолевых клеток в толстой кишке. Вот почему необходимы изделия из обезжиренного молока, поскольку в них отсутствуют насыщенные жирные кислоты.

в. Пищевая клетчатка

Мы знаем, что недостаток пищевой клетчатки может привести к раку легкого, матки и, прежде всего, к раку толстой и прямой кишки. Эта нерастворимая клетчатка(целлюлоза, гемицеллюлоза) особенно эффективна для предупреждения раковых заболеваний.

Клетчатка оказывает защитное действие на стенки толстой кишки и прямой кишки по следующим причинам:

— сокращение времени для контакта потенциальных канцерогенных веществ (желчные кислоты) со слизистой оболочкой толстой кишки. Это приводит к разжижению содержимого кишечника (гидратация кала) и сокращению времени, которое уходит на его прохождение через кишечник;

— сокращение времени взаимодействия флоры толстой кишки с некоторыми веществами, находящимися в желчи;

— предупреждение разрастания клеток толстой кишки, которое могло бы быть вызвано действием желчных кислот.

Было показано, что увеличение употребления клетчатки, само по себе недостаточно для предотвращения рака толстой и прямой кишки. Для оптимального использования клетчатки в качестве предупреждающего средства против возникновения онкологических заболеваний необходимо снизить употребление мяса.

с. Ненасыщенные жиры

Соевое, кукурузное, оливковое и подсолнечное масла (не оксидированные) могут обладать защитными свойствами против онкологических заболеваний.

д. Овощи

Некоторые овощи содержат вещества, обладающие защитными свойствами от онкологических заболеваний:
— индол в капусте и брокколи, который деактивирует эстрогены;
— стерол в огурцах;
— полиацетилен в петрушке, который блокирует начальное воздействие некоторых простагландинов;
— хинон в розмарине, который увеличивает активность ферментов, обезвреживающих токсины;
— изофлавоны во многих овощах, которые дезактивируют некоторые ферменты, способствующие возникновению онкологических заболеваний.

6. Некоторые основные принципы, с которыми нужно считаться

— Избегайте переедания и ожирения.
— Употребляйте в пищу больше рыбы, чем мяса, избегайте копченых и соленых продуктов.
— Сократите прием жиров, особенно насыщенных жиров.
— Добавьте клетчатку к вашей диете (фрукты, зеленые овощи, бобовые растения, целые зерна хлебных злаков).
— избегайте разрушения витаминов и потери микроэлементов, особенно в процессе приготовления пищи.
— Сократите потребление алкоголя.
— Попробуйте как можно чаще использовать сбалансированную разнообразную диету.

Даже когда онкологическое заболевание диагностировано, если оно схвачено на ранней стадии (благодаря повышенной предосторожности), и когда опухоль еще можно "контролировать", излечение возможно. Измените ваши привычки питания.

Хорошо продуманное питание может оказать положительное влияние на снижение побочных эффектов химиотерапии или лучевой терапии.

В дополнение к советам по выбору продуктов питания необходимо следовать общим рекомендациям. Онкологическое заболевание — это не **неизбежность**, и некоторых его видов можно избежать.

1. Не курите. Не выпускайте дым на других.
2. Избегайте длительного пребывания на солнце (опасность возникновения рака кожи).
3. Уважительно относитесь к советам профессионалов, касающихся лечения любого злокачественного новообразования.
4. Большинство онкологических заболеваний может быть вылечено, если диагноз поставлен достаточно рано.
Обратитесь к своему врачу, если вас что-то беспокоит.

Глава VI

ТРЕТИЙ ВОЗРАСТ В ЖИЗНИ ЖЕНЩИНЫ: ЗОЛОТЫЕ ГОДЫ

Представление о старости в наши дни исчерпывается выражением "старая шляпа", но более справедлива известная пословица: "Ваш возраст определяют ваши артерии ".

В XVIII веке старели преждевременно и дожить до сорока лет считалось достижением. Не более 4% населения продолжало жить после 60 лет.

Сегодня государство признает нас "старыми" после шестидесяти пяти лет, а предполагаемая продолжительность жизни женщины в наши дни составляет восемьдесят пять лет. Итак, к 2001 году более 21% населения Франции составят старые люди.

"Психологический" возраст имеет мало общего с хронологическим возрастом. Кто не вспомнит среди своих знакомых хотя бы одну женщину семидесяти — семидесяти пяти лет, если не старше, которая все еще полна энергии, несмотря на свой возраст, и у нее нет особых физических недостатков.

Моя собственная бабушка, которая умерла преждевременно, в добром здравии в возрасте ста двух лет, была образцом живучести.

В день рождения, когда ей исполнилось 100 лет, она казалась гораздо моложе, чем большинство восьмидесятилетних, которые пришли ее поздравить.

Психологический фактор играет важную роль, но привычки питания пожилых людей могут быть определяющим фактором в их продолжительности жизни.

Нельзя отрицать физические факторы старения, но спо-

278

соб питания человека, конечно же, является параметром, на который легче всего воздействовать, чтобы облегчить груз возраста.

Естественное старение

После шестидесяти- семидесяти лет наступает время, когда тело подвергается ряду естественных изменений.

1. Изменения в организме

Хотя вес органов и кровеносных сосудов особенно не изменяется, тонкая мышечная ткань фактически уменьшается. Эти изменения происходят из-за снижения секреции андрогенов (и последовательного понижения белкового анаболизма) или вследствие чрезмерно сидячего образа жизни.

Все это приводит к снижению физической выносливости и к меньшей подвижности: появляется опасность передвижения "от кресла к кровати" и, в худшем случае развития событий, человек становится прикованным к постели.

Хотя жировые ткани в брюшной полости увеличиваются пропорционально, но подкожный жир постепенно уменьшается. Сокращается содержание воды в организме, в следующих пропорциях:

— от 0,3 килограмма в год между шестидесятью и семидесятью;

— от 0,7 килограммов в год после семидесяти.

Вот почему мы обычно говорим о старом человеке "высохший".

2. Функциональные изменения

Пищеварительные функции стареющего организма изменяются следующим образом:

— изменение вкуса вследствие атрофии вкусовых рецепторов, которое усугубляется недостатком цинка. Ослабевает ощущение различия между сладким и соленым. Поэтому пища кажется более пресной и возникает опасность чрезмерного употребления сахара, соли и специй;

— сухость во рту из-за атрофии слюнных желез или из-за побочных эффектов, вызванных лекарствами;

— снижение интенсивности жевания из-за состояния зубов;

— увеличивающаяся частота гастродуоденального рефлекса (желудка и двенадцатиперстной кишки);

— снижение выделения ферментов поджелудочной железой, что приводит к затруднениям в усвоении жиров;

— снижение абсорбции при пищеварении, что увеличивает дефицит питательных микроэлементов: витаминов, солей и др.;

— усиление размножения микробов, которые являются источником дополнительной ферментации из-за замедления прохождения веществ через кишечник.

3. Изменения в обмене веществ

Это включает:

— замедление возобновления белков на 30% в сравнении с молодым возрастом;

— повышенная гликемия после приема пищи из-за недостаточного выделения инсулина, которая сопровождается повышенным риском сопротивления инсулину;

— увеличение потерь натрия и воды, которое в сочетании с уменьшением жажды усиливает возможность обезвоживания организма. Это просто определить, ущипнув кожу и посмотрев, остается ли видимый след. Это явление возрастает при слишком частом использовании мочегонных и слабительных средств.

Изменение образа жизни

Пожилые люди могут находиться в двух существенно различных ситуациях в зависимости от того, остаются ли они в собственном доме или они находятся вне его.

1. Женщины, живущие в собственных домах

Здесь снова существуют две возможности:

— те, кто готовит себе сам или это делается кем-то из членов семьи или прислугой;

— те, чьи продукты питания зависят от выбора поставщика, доставляющего продукты к их дому.

Многие из этих женщин, часто вдовы, страдают от одиночества или изоляции, и это заканчивается скрытой депрессией, отчего у них появляется отсутствие аппетита и они уходят в себя. Так замыкается порочный круг, появляется риск постепенного впадения в состояние подавленности, которое, если его вовремя не распознать, может приковать человека к постели.

Чрезмерное использование лекарств часто является причиной отсутствия аппетита, ведет к несварению желудка и иногда даже к потере питательных микроэлементов.

2. Женщины, живущие в домах престарелых, домах отдыха и специальных учреждениях

— Пожилые женщины, проживающие в специальных учреждениях для пожилых, пользуются преимуществом, принимая приготовленную пищу в атмосфере общения, если они не отделяют себя от общества, оставаясь в своих комнатах.

— В специальных учреждениях или домах "длительного пребывания" — не будем называть их палатами для престарелых — их питание находится под наблюдением диетологов.

На деле такая ситуация далека от идеала, так как пожилые люди обычно едят только то, что любят! Пищу приносят холодной или она становится холодной слишком быстро и обычно нехватает штатных сотрудников, чтобы помогать тем, кто не может сам себя обслуживать. Чтобы еще сгустить краски признаемся, что никто не проверяет, съедают ли эти пожилые люди пищу, которую им давали, или нет.

Как это ни парадоксально, в медицинских учреждениях, где более всего дозируется питание и где люди находятся под самым пристальным наблюдением, мы видим самые явные недостатки и даже встречаем серьезное недоедание.

К чему приводит недоедание

Повторяющиеся ошибки в питании могут вести к недоеданию, образуя последовательную цепную реакцию:
— утомление, ведущее к апатии;
— ослабление мышечной ткани;
— потеря веса до 15%;
— риск падений и переломов;
— умственное помешательство;
— уязвимость к заразным заболеваниям;
— ухудшение интеллекта.
Добавим к этому, что изоляция и уход в себя, игнорирование некоторых принципов питания, обнищание или даже алкоголизм могут только ухудшить положение.

Сражаться с предвзятыми мнениями

— У пожилого человека высокие потребности в питании и он должен есть так же много, как в молодости, в особенности потому, что теперь кишечник хуже переваривает пищу и белковый синтез менее эффективен
Рацион продовольствия совсем не должен уменьшаться под предлогом, что пожилой человек менее активен и его потребности ниже, чем у других.
Любые продовольственные ограничения низкокалорийного порядка станут причиной дефицита микроэлементов.
— Пожилому человеку необходимы белки и железо. Поэтому нет никакой причины их нормировать, например, исключая мясо
— Вы также не должны считать, как думают некоторые, что яйца вредны для печени или что йогурт ведет к декальцификации. Эти два продукта, напротив, должны быть частью рациона питания пожилого человека.
Неправильно полагать, что соль приводит к затвердению сосудов, мясо влияет на образование мочи или что бобы приводят к вздутию.

Правильно питаться, чтобы жить хорошо

Когда человек достигает третьего возрастного периода жизни, нет причин сокращать ввод энергии и не следует отказываться ни от каких продуктов питания. Напротив, следует питаться как и прежде, продолжая есть четыре раза в день и не следует пренебрегать ни важностью завтрака, ни радостями английского чая.

В 1983 году профессор Ле Серер в Лилле провел исследования, которые показали, что пожилая женщина в среднем употребляет 1680 калорий, а употребление белков часто остается у нее слишком низким и несбалансированным, так как более 77% белков были белками животного происхождения.

Поэтому пожилым женщинам следует употреблять продукты питания, такие как хлебные злаки и бобы, которые очень богаты клетчаткой и микроэлементами.

Какое бы то ни было ограничение белков можно производить только по совету врача, например, при серьезной почечной недостаточности.

При финансовых затруднениях следует употреблять в пищу яйца и молоко, которые являются дешевым источником белков.

Употребление липидов должно быть достаточным и разнообразным. Так как в определенном возрасте организм перестает производить некоторые жирные кислоты, содержащиеся в растительном масле или сливочное масло, поэтому необходимо пополнять их поступление, употребляя в пищу мясо, печень, яйца и, прежде всего, рыбу.

Хороший выбор углеводов должен стать правилом. В этом отношении лучше всего было бы всегда выбирать углеводы с низким гликемическим индексом, которые богаты растительными белками, клетчаткой (которая помогает бороться с запорами) и питательными микроэлементами.

С другой стороны, можете позволить себе иногда некоторые сладости (исключение составляют случаи общего ожирения и плохо сбалансированного диабета). Выбирайте прежде всего шоколад с содержанием какао свыше 70 %.

Употребляйте достаточное количество жидкости и следуйте этому совету до конца жизни. Пожилые люди часто не чувствуют жажды, и поскольку существует риск функционального обезвоживания, необходимо увеличить употребление жидкости (по крайней мере 1,5 литра воды в день).

Супы, настойки, чаи и фруктовый сок очень хороши. Но не следует пить слишком много кофе, иначе трудно будет уснуть.

Рекомендуется выпивать один или два бокала красного вина в день во время каждого приема пищи. Вино имеет антиокислительные свойства, и вы будете хорошо себя чувствовать.

Для пожилой женщины очень важен прием кальция от 1 200 до 1 500 мг в день. Обычно его поступление намного ниже, особенно при соблюдении ограниченной диеты. Статистика показывает, что:
— 58 % пожилых женщин поглощают менее 800 мг кальция в день;
— 16% поглощают от 800 мг до 1000 в день;
— 10% свыше 1000 мг в день;
— только 16% потребляют достаточное количество.

Помните что даже потребление 1000 мг кальция недостаточно, чтобы активно противостоять остеопорозу (см. Главу V, Часть II).

Остеопороз у пожилых женщин немного отличается от того, который возникает у женщин во время менопаузы. Он также воздействует на позвоночник, который может деформироваться; остеопороз влияет на длинные кости, вызывая неожиданные переломы в результате небольших ударов или падений. Чаще всего страдают бедро и запястье. Вот почему молочные продукты так важны в рационе пожилой женщины.

Витамин D также обязателен, чтобы удержать кальций. Поскольку он вырабатывается в коже под воздействием солнечных лучей, следует признать важность минимума солнечных лучей для людей, достигших третьего возрастного периода.

Если они не могут лежать под солнцем столько, сколько им хотелось бы, они могут получать витамин D из продуктов питания. Поступление витамина D должно составлять 12 микрограмм (миллионная доля грамма) в день.

Пища, богатая витамином D

— рыбий жир . . . . от 250 до 700 мкг/100 г
— тунец . . . . 60 мкг/100 г
— сардины . . . . 25 мкг/100 г
— кожа цыпленка . . . . 20 мкг/100 г
— маргарин . . . . 8 мкг/100 г
— яичный желток . . . . 5 мкг/100 г
— грибы . . . . 8 мкг/100 г
— свинина . . . . 3 мкг/100 г
— цыпленок . . . . 2 мкг/100 г

Очевидный дефицит витамина D может повести к остэмиляции, которая вызывает боли в области таза и приводит к трудностям при ходьбе (подобно рахиту у детей).

Терапевт всегда должен подумать об этом диагнозе, если перед ним пожилой человек, испытывающий подобные затруднения. Витамин D в таких случаях прописывается в больших дозах.

Нехватка витамина B9, или фолиевой кислоты, также очень часто встречается у пожилых людей. Дефицит обнаружен почти у 30% живущих в собственных домах и у 70% тех, кто живет в лечебных заведениях.

Подобные нехватки вызывают анемию, но чаще психологические проблемы: перемены настроения, бессонницу, бодрствование, депрессивный синдром, апатию и иногда старческое слабоумие.

У каждой пожилой женщины, которая "не в своем уме", было бы неплохо проверить количество витамина в организме, прежде чем приписывать это настоящему слабоумию.

Легко проверить этот диагноз по анализу крови. В этом случае лекарственным средством будут инъекции с одновременным разнообразным питанием.

Дневная норма фолиевой кислоты составляет 300 мкг.

Продукты, богатые фолиевой кислотой

— пивные дрожжи . . . . 4 000 мкг/100 г
— печень цыпленка . . . . 260 мкг/100 г
— устрицы . . . . 240 мкг/100 г
— кресс-салат, цикорий . . . . 220 мкг/100 г
— вареный шпинат . . . . 160 мкг/100 г
— авокадо . . . . 150 мкг/100 г
— вареные красные бобы . . . . 130 мкг/100 г

Витамин B6 вводите дополнительно

Мы знаем, что этот витамин помогает удержать белки, участвующие в клеточном обмене.

Недостаток витамина B6 приводит к утомляемости, депрессии, чрезмерной раздражительности и повышенной уязвимости к инфекциям.

Пожалуйста, обратитесь к Главе VI, Часть I, если вы хотите узнать, какие продукты богаты витамином B6.

Не допускайте недостатка витамина A

Этот витамин улучшает ночное зрение и поддерживает кожу и слизистую в хорошем состоянии. Суточная доза должна составлять 800 мкг.

Недостаток витамина A (45% женщин после шестидесяти страдают от этого) повинен в сухой и шероховатой коже, повышенной уязвимости к легочным инфекциям, инфекционным заболеваниям уха, горла, носа и в слишком сильной восприимчивости к солнцу.

Подумайте о:

— антиокислителях, в особенности о витаминах E и C, а также о полифенолах, которые активно борются со старением благодаря свободным радикалам;
— железо;
— магний;
— калий.

Вся эта статистика показывает, что в дневном рационе более чем половины пожилых людей нехватает питательных веществ по сравнению с рекомендованными.

Будьте осторожны с диетами

Все диеты с ограничениями (низкокалорийные, бессолевые, обезжиренные и т.д.) опасны для пожилых людей, потому что являются источником нарушения равновесия.

Некоторые меры предосторожности в выборе продуктов питания могут быть все же полезны в случае:
— серьезной почечной недостаточности;
— высокого кровяного давления;
— ухудшении состояния сердца;
— тяжелого несбалансированного диабета.

Что касается похудания, существуют только два случая, когда потеря веса медицински оправдана:
1 — если избыточный вес ограничивает человека в движении и ему грозит опасность из-за ожирения стать прикованным к креслу или кровати или если это вызывает серьезные нарушения дыхания или жалобы на сердечную деятельность;
2 — если ожидается ортопедическая операция бедра или замена коленной чашечки. Кроме этих двух случаев бесполезно и, я бы даже сказал, жестоко вынуждать пожилых людей худеть, соблюдая низкокалорийную диету.

Если пожилой человек сам просит об этом, тогда должны соблюдаться основные принципы Метода (Фаза 2), поскольку они являются оптимальными. Эти принципы все же должны соответствовать предыдущим рекомендациям, особенно предъявляемым к питательному составу продуктов.

Еда как удовольствие и общение с друзьями

Никакая диета не может быть надолго сбалансирована, если она не изменяется и не учитывает индивидуальные вкусы и пристрастия.

Вот почему особенно следует обратить внимание на качество и привлекательность. Пища должна быть приготовлена "более изысканно", чтобы возбуждать аппетит.

Но самую большую роль в том, как будет питаться пожилой человек, будет играть окружение, окружающая обстановка и счастливая социальная атмосфера, в которой он живет. Никто не сможет игнорировать тот факт, что в компании все едят лучше.

Вам надо попытаться вновь открыть эпикурейские аспекты пищи.

Как сказал Бриллст Саварин *"Удовольствие от застолий для каждого возраста, всех социальных условий в каждой стране и каждый день; его можно добавить ко всем другим удовольствиям и оно последнее, что нам остается и утешает нас за их потерю"*.

Давайте учиться справедливо судить о хорошей еде и не становиться подобным врачам из Мольеровского "Мнимого больного".

Глава VII

ПЛОХИЕ МЕДИКАМЕНТЫ

Ряд людей удовлетворен, что в наши дни научный прогресс привел к созданию эффективных лекарственных средств для борьбы с болезнями.

Но вместо умеренного использования в тех случаях, когда это необходимо, лекарства в нашем обществе стали продуктом широкого потребления.

Следует отметить, что коммерческое давление, оказываемое процветающей фармацевтической промышленностью и ее посредниками в последние несколько десятилетий, достигло таких размеров, что использование лекарств, даже при самых простых недомоганиях, стало не только привычным, но и рефлекторным.

Врачи тоже внесли свой вклад в эту "сверхмедикаментозность", когда обнаружили, что их популярность прямо пропорциональна количеству выписываемых ими препаратов.

Если мы добавим к этому чрезмерному использованию назначаемых лекарств лекарственные препараты, которые люди прописывают себе сами, мы получим представление о масштабах явления. Все это отражается самым печальным образом, на бюджете медицинской службы.

К сожалению, эта сверхмедикаментозность парадоксально отражается на здоровье. Лекарства не всегда так безобидны, как мы себе представляем.

Их использование может оказывать серьезные негативные воздействия, в особенности, если оно принимается постоянно и в слишком больших количествах.

Особо следует упомянуть побочные эффекты от некоторых из них, включая прибавление в весе. И это как раз те лекарства, которые чаще всего используются женщинами.

Психотропные средства

Эти лекарства предназначены для лечения различных нарушений нервной системы. Они воздействуют на различные мозговые центры (гипоталамус), которые включают "механизм голода", и области, регулирующие весовой баланс. Гипофиз, который регулирует выделение большинства гормонов эндокринных желез в организме (поджелудочная железа, надпочечники, яичники), также зависит от них.

Среди группы психотропных средств можно выделить несколько лекарств.

1. Антидепрессанты

Некоторые из антидепрессантов, которые прописываются при серьезных нервных срывах, повышают аппетит и вызывают желание съесть сладости, что может вызвать приступ булемии и развить привычку к еде между основными приемами пищи, что способствует выделению инсулина. Если действительно необходим антидепрессант, лучше было бы порекомендовать одно из лекарств, например, Прозак. Оно не вызывает опасности увеличения веса, если раньше у пациента не было отклонений в поведении при приеме пищи.

2. Нейролептические средства

Среди нейролептических средств можно назвать Паргактил, Мелерил, Модитен, и Бурмонтил.

Средства увеличивают чувство голода и вызывают склонность к плохим углеводам (в частности к сладостям).

3. Транквилизаторы и успокоительные

Женщины, переживающие периоды волнений и тревог, страдая от жизненных трудностей, имеют обыкновение слишком часто искать "спасение" в транквилизаторах, попадая таким образом в ловушку. Нужно сказать, что доктора не колеблясь прописывают их по просьбе пациентов.

Так возникают прискорбные зависимости в странах, не

самых обделенных на планете, жители которых, однако, большие любители принимать знаменитые "маленькие таблетки счастья"! Нужно помнить, что бензодиазепины (Лексотан, Лоразепам, Транксен, Валиум и Ксананс) иногда приводят к ослаблению концентрации внимания и провалам в памяти.

Эти медикаменты могут, кроме того, увеличить чувство голода и провоцировать сильное желание поесть сладкого.

4. Литий

Если его принимают в форме Панадел или Камколит, то возникает острое желание выпить какой-нибудь сладкий напиток. Иногда эти лекарства воздействуют на щитовидную железу, создавая дополнительную причину для увеличения веса.

Вы должны быть осторожны с лекарствами, которые действуют на психику, учитывая эти наблюдения. Возможное увеличение веса у разных индивидуумов колеблется от двух до тридцати килограммов.

Начинающееся ожирение часто увеличивает психологические проблемы, и пациент не придерживается лечения. Если из-за увеличения веса лечение внезапно прекращается, это может оказать драматическое воздействие и нарушить равновесие человека до такой степени, что приведет к самоубийству.

Долг врача взвесить необходимость лечения по сравнению с возникающими побочными эффектами.

В некоторых случаях лечение ценой увеличения веса может быть оправдано психическим состоянием.

Постарайтесь обойтись без них в простых случаях заболевания нервов, стресса, с которым трудно справиться, или появления мрачных мыслей, которые пройдут, потому что можно найти желаемое нервное расслабление при помощи других методов. Женщинам следует попробовать активную терапию, такую как релаксация, софрология и йога.

Бета-блокирование

Эти лекарства прописывают для лечения высокого кровяного давления и предотвращения сердечных приступов из-за сердечной недостаточности. Однако, иногда их использовали против мигрени и при некоторых видах дрожи, например, страха перед аудиторией.

Они обычно вызывают увеличение веса, потому что снижают теплообразование, вызывая падение симпатического тонуса.

Они могут быть заменены с согласия врача- кардиолога, если имеются сердечно-сосудистые осложнения из-за других медикаментов, у которых нет побочных эффектов, влияющих на вес (конверсионный фермент-замедлитель).

Кортизон

Кортизон вызывает увеличение веса из-за удержания воды и соли. Но он также нарушает углеводный обмен. Поэтому врачи редко выписывают его.

Использование кортизона часто оправдано развитием серьезных болезней, предвещающим угрозу жизненно важным функциям организма (ревматизм, аллергии или тяжелые инфекции, рак).

Проблема избыточного веса в таких случаях приобретает вторичное значение, и когда дозы кортизона высоки и лечение длительно, помогает строгая бессолевая диета с контролируемым содержанием углеводов.

Противовоспалительные средства

Фенилбутазон больше не применяют для лечения воспалительных процессов. Но некоторые виды лечения подобных заболеваний могут вызвать у особо чувствительных пациентов увеличение веса на два или три килограмма.

Довольно часто это происходит из-за удержания воды в организме, а не из-за накопления жира.

Следует осмотрительно прописывать противовоспалительные средства, потому что не всегда они необходимы при любой стенокардии или зубной инфекции, при ревматизме и повторяющихся болях, так как эти препараты могут вызвать кровотечение в пищеварительном тракте.

Антибиотики

Антибиотики широко распространены в сельскохозяйственном производстве, так как они вызывают увеличение веса животных более, чем на 10%. Подобная реакция организма на лечение антибиотиками наблюдается и у людей.

Поэтому лечение антибиотиками должно быть оправдано и краткосрочно. Длительное лечение следует применять только в исключительных случаях. Было бы лучше рассчитывать на другие пути стимулирования иммунитета и предотвращения появления инфекции.

Тонизирующие лекарства

Как мы писали в первой части книги, слабость — это только симптом. Побороть это состояние тонизирующими лекарствами, пытаясь лечить последствия, не выход из положения.

Большие дозы тонизирующих лекарств вызывают аппетит и косвенно приводят к увеличению веса. Некоторые из них даже содержат незначительные количества сахара.

Выписывая их, особенно детям, можно проложить путь к ожирению.

Женские гормоны

Мы подробно говорили в предыдущих главах о возможных воздействиях противозачаточных таблеток, а также эстрогена и прогестрона во время менопаузы.

Другие виды лекарств могут мешать усвоению питательных веществ или вызывая потерю вкуса (не менее сорока средств могут повлиять на это) или перенапрягая печень, что может привести к отклонениям в пищеварении.

Позвольте повторить, что здравый смысл всегда полезен. Некоторые лекарства не следует систематически прописывать по незначительному поводу. В случаях, когда они строго необходимы, их можно заменить другими, не вызывающими увеличения веса.

Врач всегда обязан не только предупреждать пациента об опасности увеличения веса, но и принять необходимые предосторожности, чтобы сократить появление неизбежного ожирения.

Появилась настоятельная потребность откровенного обсуждения лечения между доктором и пациентом. Практикующий врач должен знать, как объяснить свои назначения, не слишком сгущая краски о возможном увеличении веса.

Мы знаем, что трудно реально оценить этот риск, учитывая, что из-за индивидуальной чувствительности могут возникнуть совершенно разные реакции.

Монтиньяк Мишель

M 77   Метод похудания Монтиньяка. Особенно для женщин/ Пер. с фр. Предисл. к рус. изд. А. П. Капицы. — М.: Издательский Дом ОНИКС, 1999. — 304 с.

ISBN 5-249-00016-9

Метод похудания Монтиньяка известен во многих странах. Из этой книги женщины узнают, как можно вернуть себе стройность и красоту, не прибегая к изнуряющим диетам.

УДК 615.874
ББК 88.5

Издание для досуга

МОНТИНЬЯК МИШЕЛЬ

МЕТОДЫ ПОХУДАНИЯ МОНТИНЬЯКА

Особенно для женщин

Подписано в печать 11.03.99 г. с готовых фотоформ.
Формат 60×90/16. Печать офсетная. Бумага офсетная.
Усл. печ. л. 19,0. Уч.-изд. л. 14,17. Доп. тираж 40 000 экз.
Заказ 2516.

ЗАО «Издательский Дом ОНИКС».
ЛР № 065803 от 09.04.98 г.
107066, Москва, ул. Доброслободская, 5а

Отдел реализации: тел. (095) 310-75-25, 255-51-02

При участии ООО «Харвест». Лицензия ЛВ № 32 от
27.08.97. 220013, Минск, ул. Я. Коласа, 35-305.

Ордена Трудового Красного Знамени полиграфкомбинат
ППП им. Я. Коласа. 220005, Минск, ул. Красная, 23.

Качество печати соответствует качеству предоставленных
издательством диапозитивов.

Метод Мишеля Монтиньяка

«Худейте с умом»

Мы редко задумываемся над тем, что питаемся совсем не так, как даже самые ближайшие наши предки.

Действительно, последние полвека пристрастия человека в еде постепенно менялись. В рационе наших родителей и, тем более, наших дедов было больше овощей, фруктов, бобовых — чечевица, белая и красная фасоль, горох, натуральные злаки.

Сегодня мы предпочитаем зажаренные бифштексы, белые батоны, побольше сладостей.

Не задумываясь, мы поглощаем слишком много «плохих» и совершенно недостаточно «хороших» углеводов.

Следуя нашим рекомендациям в области питания, вы сможете управлять своими желаниями. Это единственный путь для тех, кто хочет худеть с умом.

Michel Montignac

Мишель Монтиньяк:
«Лучшее средство похудеть – это есть»

Во Франции одни называют его «патриархом гастрономии», другие – «человеком, заставившим похудеть Европу».

Кто же он на самом деле, автор бестселлера «Я ем – следовательно я худею»?

«В детстве я был толстяком и вырос в семье, где именно мужчины отличались тучностью, – рассказывает Монтиньяк. – От этого недостатка я страдал все свое детство. Так что я бывший толстяк и сын толстяка... В семье меня называли «толстый кролик», а одноклассники дали кличку «пузан»... Хотя отцовская тучность вызывала у меня отвращение, доносившиеся из кухни запахи всегда сильно манили».

Еда и выпивка продолжали преследовать Монтиньяка и когда он возглавил службу маркетинга в торговом доме, и на посту шефа по кадрам в европейском отделении многонациональной американской фармацевтической компании. Приходилось в неимоверных количествах поглощать аперитивы и участвовать в многочисленных деловых обедах. Несмотря на ограничения в еде, которые Монтиньяк соблюдал на протяжении многих лет, он продолжал полнеть.

В возрасте между двадцатью и тридцатью пятью годами, постоянно озабоченный проблемой лишнего веса, он перечитал большую часть книг на эту тему и, естественно, испробовал на себе, правда безуспешно, все известные на земле диеты.

Зато он выяснил, что немало специалистов по питанию пытались доказать, что низкокалорийные диеты не только не эффективны, но и опасны для здоровья.

Как бы парадоксально это ни выглядело, но именно лишая себя пищи, мы нарушаем свойство нашего организма создавать повышенные энергетические резервы. Практически происходит адаптация тела к голоду (таков инстинкт выживания). Парадокс состоит в том, что чем больше мы вынуждаем тело испытывать лишения, тем больше оно стремится экономить имеющуюся в его распоряжении незначительную энергию и увеличивать ее резервы. Чем беднее продукт по составу питательных веществ, тем сильнее он влияет на механизмы обмена веществ, что, в свою очередь, может обернуться приобретением лишнего веса.

Другой причиной является широко распространенная система быстрого питания. Во всех странах мира, куда проникает подобная система, мы наблюдаем все больше людей с ожирением. Во Франции, например, где средний вес взрослого человека один из самых низких, число детей, страдающих от ожирения, за последние десять лет удвоилось, и все потому, что дети все чаще питаются на американский лад.

Именно потому Монтиньяк предлагает нам свой метод, возлагая на него большие надежды. От лишнего веса нетрудно избавиться, утверждает он: «Для того чтобы похудеть, достаточно просто изменить свои привычки в еде, что, в общем, доступно всем. В предложенном мною методе нет количественных ограничений. Достаточно лишь верно подбирать продукты, и это возможно как дома, так и в ресторане.

Прежде всего это не диета. Диета как раз основана на ограничениях, и потому ее применение, связанное с неизбежными лишениями и частыми разочарованиями, должно быть ограничено во времени. Метод Монтиньяка не является диетой в силу отсутствия количественных ограничений. Он приводит не только к сбалансированному питанию, но и к потреблению пищи, насыщенной необходимыми питательными веществами. Вот почему помимо избавления от лишнего веса, что достигается очень легко, метод просто позволяет обрести здоровье: избавиться от быстрой утомляемости и от проблем с кишечником, повысить сопротивляемость болезням за счет усиления иммунной системы, снизить содержание холестерола и триглицеридов».

Раз и навсегда рекомендует Монтиньяк исключить из рациона продукты, подвергшиеся очистке, после которой они уже не содержат необходимых питательных веществ (например, сахар, все сорта белой муки), а также продукты, питательные вещества которых разрушаются в процессе обработки, как например картошка жаренная или запеченная в духовке.

«То, что я предлагаю, – говорит Монтиньяк, – имеет отношение к здравому смыслу, но одновременно опирается на научные исследования и неоспоримые статистические данные, и потому я убежден, что все, кто озабочен проблемой собственного веса, быстро поймут это. Даже если a priori мой метод кажется парадоксальным, согласитесь, совсем неплохо, внезапно обнаружить, что лучший способ похудеть – это именно есть, правда есть иначе».

Мишель Доре: «Я потеряла 40 килограммов»

Специалист по связям с прессой Мишель Доре вынуждена в силу своих обязанностей часто питаться в ресторанах, присутствовать на коктейлях. Она сама рассказывает, как ей удалось похудеть на 40 килограммов по методу Монтиньяка, не отказываясь при этом от светской жизни.

— Как вы узнали о методе Мишеля Монтиньяка?

— Три года назад я услышала о Мишеле Монтиньяке по радио. В это время я весила 92 килограмма и испробовала все известные диеты: порошки, пилюли, уколы. Буквально все. Иногда я худела, но тут же набирала прежний вес. Все эти диеты не соответствовали моему образу жизни, потому что мне очень часто приходилось питаться вне дома. Метод Монтиньяка представлялся мне тогда похожим на все остальные диеты, но было у него и одно преимущество: во всех ресторанных меню я нашла блюда, которые соответствовали этому методу. И тогда я отправилась по книжным магазинам Квебека, но там ничего не нашла на эту тему. На следующее лето я поехала во Францию. Однажды вечером, возвращаясь из ресторана, я проходила мимо книжного магазина, в котором аннонсировалась книга Монтиньяка. Я купила ее и прочла за время отпуска.

— Трудно ли следовать его методу?

— Правильнее сказать, что я приспособилась к нему. Всякий раз, когда вы соблюдаете какую-то диету, необходимо совершать усилие. Чтобы лучше понять суть методики, я перечитала книгу три или четыре раза, составила для себя таблицы сочетания различных продуктов. После этого следовать новому методу не составило труда. Постепенно ко мне присоединился мой муж. Это было приятно, но иногда и огорчительно, потому что он терял вес куда быстрее, чем я. Я приучилась обращать внимание на информацию, помещаемую на этикетках продуктов, которые покупаю. В общем, я научилась следить за своим здоровьем.

— Сколько же времени у вас ушло на то, чтобы похудеть?

— Чуть меньше года. Чудодейственных диет не бывает. И поверьте, к такому выводу я пришла ценой своего здоровья.

Но на этот раз я никому не сообщила, что сидела на диете. Окружающие не могли прийти в себя, видя, насколько я похудела. Один год — это все-таки вполне умеренный срок, неправда ли?

— **А вы можете придерживаться этого метода, когда выходите в свет?**

— Конечно. Например, когда я бываю на коктейлях, я съедаю только то, что на тартинках, сами бисквиты отбрасываю. Книга учит нас множеству маленьких уловок такого же рода. Я сама себе готовлю умопомрачительные десерты по рецептам Монтиньяка. Вы только вообразите, я соблюдаю диету и при этом ем десерты!

— **Случалось ли вам сталкиваться с такими требованиями, которые трудно выполнить?**

— Да. Не следует самообольщаться всякий раз, как вы решаетесь похудеть, потому что придется идти на жертвы. При методе Монтиньяка разрешается есть почти все, но при этом надо обращать внимание на сочетание продуктов. Например, нельзя есть одновременно хлеб и мясо.

— **Изменилось ли что-нибудь в вашей жизни?**

— Да, конечно. Я себя гораздо лучше чувствую. Теперь, когда я похудела, я могу себе позволить иногда нарушить правила. Впрочем я тут же возвращаюсь к ним, потому что данный метод превратился в норму моего питания.

Но знаете ли вы, что худшее из того, что может произойти с толстым человеком? Это перейти в разряд людей «среднего веса». Сегодня я борюсь с навязчивой идеей превратиться в худышку.

Мишель Монтиньяк

«Секреты питания Монтиньяка»

После многих десятилетий беспорядочных и малорезультативных дискуссий именно сейчас традиционная диететика претерпевает коренные изменения и приобретает широкую известность.

В этой книге, выпущенной в 1987 г. и ставшей бестселлером, Мишель Монтиньяк заявил о себе как один из самых активных деятелей нового направления в диететике. С помощью выдающихся французских и иностранных ученых-медиков автор сформулировал главную идею диететики, поставив под сомнение суть бытовавших теорий в области питания.

Он доказывает, что полнота появляется не столько из-за количества потребленной человеком пищи, сколько из-за неудачной системы питания, а также из-за плохого качества продуктов.

Вместе с тем и без научных исследований понятно, почему в организме образуется недостаток калорий. Организм, испытывающий недостаток калорий, не желает расставаться с лишним весом.

Кроме того, Мишель Монтиньяк и его команда медиков нам объясняют, почему уровень жизнеспособности является прямым результатом системы питания и как повысить наши физические и интеллектуальные показатели, меняя свои привычки в питании.

Диететика впервые становится «человечной», она не требует лишений и ограничений, но даст стойкий эффект за тот срок, который вы предпочтете: короткий, средний или более длительный.

Современная диететика действительно соответствует нормальной семейной, профессиональной и социальной жизни.

«Я ем — следовательно, я худею!» Это вызов, который Мишель Монтиньяк предлагает вам принять.

«Издательский Дом ОНИКС» готовит к выпуску:

Мишель Монтиньяк

«Ешьте и молодейте!»

Мишель Монтиньяк прославился своим методом эффективной и устойчивой потери избыточного веса, основанным на простом возврате к верным привычкам питания.

Сегодня его интересует здоровье и питание тех, кому за пятьдесят. В этом возрасте люди, как правило, чувствуют себя молодыми и в отличной форме. Но чтобы сохранить такое состояние, следует проявлять бдительность перед лицом некоторых возможных опасностей. Решение этой проблемы лежит буквально у нас на тарелке!

Все, кто всерьез интересуются своим здоровьем, найдут в этой книге бесценную информацию о том, какую пищу потреблять, чтобы обеспечить организм оптимальным количеством витаминов, минеральных солей или волокон, как выбирать продукты и как их готовить, что надо есть, чтобы раз и навсегда избавиться от усталости, как научиться регулировать свой вес, предупреждать сердечно-сосудистые заболевания, облегчать ревматические боли, стимулировать защитные механизмы иммунной системы...

Мишель Монтиньяк убеждает, что, приобретя привычку питаться правильно, можно не только облегчить, но и предупредить большую часть появляющихся с годами недугов. Иными словами, чтобы сохранить молодость, необходимо правильно питаться.

«Издательский Дом ОНИКС» готовит к выпуску:

Мишель Монтиньяк

«Чудесные свойства вин»

Мишель Монтиньяк приоткрывает завесу над все еще запретной темой и раскрывает подлинные достоинства вина и его благотворное воздействие на здоровье.

Исследование, проведенное ВОЗ в 1991 году в планетарном масштабе, выявило так называемый «французский парадокс»: у французов случается в три раза меньше инфарктов, чем у американцев, при одинаковом у тех и других среднем уровне холестерола и количестве потребляемых жиров. Причина в том, что французы пьют в одиннадцать раз больше вина, чем американцы!

Научные исследования, проводившиеся на протяжении многих лет, позволили заново открыть терапевтические свойства вина и доказать, что оно является самым эффективным средством по предупреждению сердечно-сосудистых заболеваний, положительно влияет на пищеварение и обладает противоинфекционным воздействием. Наконец, вино может использоваться как антистрессовое средство и как средство, замедляющее старение.

Для максимального использования целебных свойств вина достаточно соблюдать два правила: пить регулярно (при каждом приеме пищи) и пить умеренно (от двух до четырех стаканов в день).

Подобное утверждение не может не привести в восторг тех гурманов, для которых вино всегда было одним из украшений нашей культуры и символом искусства жить.

Мишель Монтиньяк

самый известный в Европе специалист по вопросам правильного питания. Во всем мире проданы десятки миллионов его книг, благодаря которым у каждого появилась реальная возможность сохранить на многие годы стройность и здоровье.

Бестселлеры французского диетолога теперь стали доступны и российскому читателю.

Серию книг Мишеля Монтиньяка,
а также другие книги, выпущенные
«Издательским Домом ОНИКС»,
Вы всегда можете приобрести
в **отделе реализации** по адресам:

Москва, Симферопольский б-р,
д. 25, строение 2 (3 этаж),
т/ф (095) 310-75-25, тел. 110-02-50 — *опт.*

Москва, Б. Тишинский пер., д. 40.
Тел. (095) 255-51-02 — *мелкий опт.*

Москвичей и гостей столицы приглашаем посетить
наш фирменный магазин
в двух шагах от ст. метро «Бауманская»
(ул. Бауманская, д. 33/2, строение 8),

а также книжные магазины по адресам:
Каретный ряд, д. 5/10. Тел. 299-65-84.
Арбат, д. 12. Тел. 291-61-01.
Татарская, д. 14. Тел. 235-34-06.

**Наши книги можно получить по почте,
заказав бесплатный каталог по адресу:
107140, Москва, а/я 140 «Книги по почте».**